A ORAÇÃO
— MAIS —
PODEROSA
DE TODOS OS TEMPOS

Bruno Gimenes

A ORAÇÃO
— MAIS —
PODEROSA
DE TODOS OS TEMPOS

Luz da Serra
EDITORA

Nova Petrópolis/RS - 2023

Capa: Natália Gomes

Projeto gráfico e diagramação: Luana Aquino

Revisão: Gislaine Monteiro

Imagens: Freepik

Dados Internacionais de Catalogação na Publicação (CIP)

G491o   Gimenes, Bruno.
          A oração mais poderosa de todos os tempos / Bruno Gimenes. – Nova Petrópolis : Luz da Serra, 2019.
          160 p. ; 23 cm.

ISBN 978-85-64463-83-7

1. Autoajuda. 2. Oração. 3. Desenvolvimento pessoal. 4. Autoconhecimento. 5. Energia. 6. Saúde. 7. Riqueza. 8. Espiritualidade. I. Título.

CDU 159.947
CDD 158.1

Índice para catálogo sistemático:
1. Autoajuda   159.947

(Bibliotecária responsável: Sabrina Leal Araujo – CRB 8/10213)

Todos os direitos reservados. Nenhuma parte desta obra pode ser reproduzida ou transmitida por qualquer forma e/ou quaisquer meios (eletrônico ou mecânico, incluindo fotocópia e gravação) ou arquivada em qualquer sistema ou banco de dados sem permissão escrita da Editora.

Luz da Serra Editora Ltda.
Rua das Calêndulas, 62.
Bairro Juriti - Nova Petrópolis / RS
CEP: 95150-000
www.luzdaserra.com.br
loja.luzdaserraeditora.com.br
Fone: (54) 99263-0619
loja@luzdaserra.com.br

DEDICATÓRIA E AGRADECIMENTOS

Dedico esta obra aos incríveis mentores
que orientaram e possibilitaram este trabalho.

Agradeço o carinho de meus queridos
amigos, familiares, alunos e seguidores,
que sempre me apoiam com todo o seu amor.

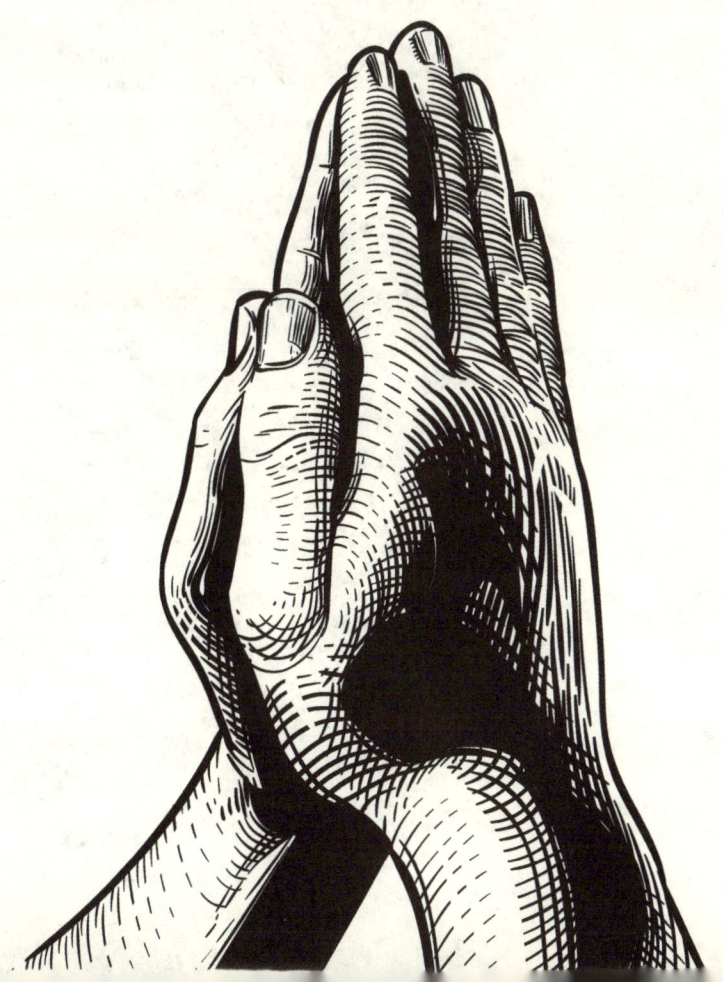

SUMÁRIO

CONECTE-SE COM A SUA ESPIRITUALIDADE
E TRANSFORME A SUA VIDA 9

COMO ESSA ORAÇÃO CHEGOU A MIM 15

O QUE É UMA ORAÇÃO? 23

VOCÊ ESTÁ REZANDO ERRADO 29

A CONEXÃO DE QUATRO ETAPAS 37
    ETAPA 1: AGRADEÇA 43
    ETAPA 2: CONECTE 55
    ETAPA 3: DIRECIONE A ENERGIA 61
    ETAPA 4: EU MEREÇO 66

ORAÇÃO CONDUZIDA 73

ROTINAS DE ORAÇÃO
PARA CADA ÁREA DA SUA VIDA 82
O SEGREDO ESCONDIDO DE TODA ORAÇÃO 129

PERGUNTAS E RESPOSTAS 139

COMECE A PRATICAR E
VIVENCIE PROFUNDAS TRANSFORMAÇÕES 145

OUTRAS HISTÓRIAS DE SUCESSO 151

Olá! É com grande alegria que entrego este livro hoje a você! Sei que o que você vai descobrir aqui tem o poder de mudar radicalmente a sua vida, mas sei também que interiorizar essas informações e colocá-las em prática depende somente de você.

A minha parte eu fiz, e tenho feito, ao longo de todos esses anos, em que decidi ouvir o meu chamado e abraçar a minha missão de vida.

E quer saber que missão é essa?

Ajudar mais e mais pessoas a desenvolverem valores que as auxiliem no caminho de se tornarem quem realmente nasceram para ser.

Acredite, você nasceu para ser feliz. Nasceu para viver uma vida abundante. Nasceu para se tornar a melhor pessoa que puder ser neste plano.

E, sim, é possível ser e ter tudo isso, é possível construir uma vida maravilhosa, basta estar conectado com a sua espiritualidade e permitir que ela faça florescer todas as coisas incríveis que quer manifestar na sua vida.

Neste livro, compartilho com você uma oração que pode mudar toda a sua vida.

A partir da mudança na sua vibração pessoal, você vai poder harmonizar as suas relações, encontrar a sua missão de vida e aumentar a sua prosperidade.

Tudo isso é possível, porque essa oração, feita do jeito certo, mexe com toda a sua energia, com a sua aura e com os seus chacras. Ela coloca você na vibração certa, criando um circuito de forças balsâmicas capaz de transformar qualquer área da sua vida.

O QUE VOCÊ QUER AGORA?

Pare um instante e pense. Responda: **o que você mais quer agora, do fundo do seu coração?**

Não precisa ficar com vergonha ou com medo de julgamento. Ninguém vai ouvir. Ninguém precisa saber. Você só tem que admitir para si mesmo qual é o desejo mais profundo do seu coração: *arrumar um emprego, ganhar mais dinheiro, encontrar um amor, se desvencilhar de pessoas invejosas, melhorar a saúde, fazer com que causas na justiça finalmente andem, destravar qualquer situação que esteja estagnada.* Eu não sei, mas não importa, pois, seja qual for o seu desejo, é possível realizá-lo. Você só precisa pedir. Ah, e saber pedir, claro!

No entanto, não se preocupe, porque essa oração é fácil e perfeitamente possível. Transformadora e reveladora, já foi testada e aprovada. E, desde 2007, vem realizando verdadeiros milagres na vida das pessoas.

Além disso, ela independe de religião, ou seja, não importa o caminho religioso que você tenha escolhido seguir, essa oração sem dúvida não vai ofendê-lo.

Você pode fazê-la antes ou depois de qualquer ritual que pratique. Caso a sua religião tenha um líder (padre, pastor, pai de santo, ancião, etc.), você pode levá-la até ele. Tenho certeza de que ele também vai entender e perceber que ela veio de uma Força Maior, uma força superior, que serve a todos os irmãos aqui na Terra.

Nas próximas páginas, você vai conhecer a oração mais poderosa de todos os tempos, os segredos dela, e como fazer para que todo esse poder e essas transformações sejam parte da sua vida.

**Estou muito feliz de poder
compartilhar tudo isso com você!**

Com amor,

Bruno Gimenes

HISTÓRIAS DE SUCESSO

> Com enorme prazer venho aqui deixar meu testemunho. No terceiro dia, consegui minha recolocação profissional tão almejada. Chorei de emoção! Gratidão por transmitir essa energia boa! Amo o canal de vocês. Muita luz, sucesso e tudo de melhor nas suas vidas! (Jéssica D.)

> Boa noite! Confesso que não acreditei muito no início, mas volto aqui para dizer que funciona sim, independente do que você acredite, da tua religião. Dois dias após iniciar a oração, consegui uma das coisas que pedi e que me parecia quase impossível, pois, além da competição, ainda teve gente dificultando o meu caminho. Vou continuar, e espero voltar aqui para dizer que a segunda coisa também aconteceu. Beijos, e fiquem em paz! (Juliana B.)

> Comecei ontem, e já vi resultado: Deus afastou da minha vida uma pessoa que funcionava como um "vampiro de energias", e eu não conseguia me libertar sozinha. Depois da primeira oração, essa pessoa se afastou. Incrível! Muito obrigada! Vou continuar com as orações. Forte abraço, paz e luz! (Sil L.)

> Gente, Deus é muito bom! Comecei hoje, e estava muito mal, com crise de ansiedade, uma tristeza profunda, nada dando certo, pensamentos destrutivos. Comecei essa oração muito mal, mesmo com as respirações, não conseguia me concentrar. Logo após, exercitando a gratidão, senti uma melhora e, ao final da oração, puf! Tudo sumiu. Finalizei me sentindo muito leve e tranquila. Parece que saiu um peso. Sinto-me mais confiante! Gratidão, Luz da Serra! Abençoados sejam! (Daniela C.)

> Esta oração é milagrosa! Não posso falar em detalhes, mas posso dizer que eu tinha dois problemas gravíssimos: um judicial, e outro na empresa, e os dois foram resolvidos, assim, como um "passe de mágica". Experimente, amigo, e verá que não estou mentindo. Cabe falar que nem religião eu tenho, apenas fiz o teste e fiquei impressionado com o resultado. (Padiga P.)

COMO ESSA ORAÇÃO CHEGOU A MIM

Em 2002 a minha vida estava incrível! Eu tinha um bom trabalho, ganhava bem, possuía uma boa posição na carreira em que havia me formado. Por outro lado, neste mesmo ano, minha vida não estava nada bem.

Talvez você esteja se perguntando: "Ué, mas você não acabou de dizer que tinha uma vida incrível? Como pode isso? Como não estaria bem?"

O fato, é que eu estava inquieto, tomado por um sentimento estranho, algo dentro de mim dizia: "preciso ajudar alguém!"

Não sei se você, em algum momento, já se sentiu assim, como se, apesar de tudo, estivesse incompleto; como se ainda faltasse alguma coisa. Hoje, entendo que esse sentimento era de culpa, pois eu tinha a impressão de que minha vida era boa demais, e que estava fazendo pouco pelo mundo.

Era como se eu não merecesse o que recebia, e, para merecer, eu precisava fazer mais por Deus, pela espiritualidade, pelas pessoas pobres.

Estava buscando um sentido para a minha vida, porque, no fundo, sentia que precisava ajudar mais. No entanto, como eu podia fazer isso? Como podia fazer mais pelos outros?

Bem, eu sempre fui uma pessoa de oração. Desde muito jovem, desde uns 15 anos, quando via alguém que precisava, eu dizia "vou rezar por você". Curiosamente, as pessoas me davam retorno, e me falavam: "Nossa, parece que sua oração funcionou mesmo."

Com o tempo, mais e mais pessoas começaram a me pedir para rezar para elas. Sim, minha oração funcionava mesmo; sim, minha oração era boa; mas eu não entendia como era esse meu processo de oração.

O que eu sabia, era que ali estava a resposta para a pergunta que me afligia naquele momento: "Como posso ajudar mais?"

Rezando pelas pessoas.

Na época, eu era químico, trabalhava em uma empresa com cerca de 500 funcionários, e meu cargo era "analista de processos sênior", ou seja, responsável pelos processos químicos da organização.

Minha função era garantir que tudo desse certo, que as máquinas não parassem, que as demandas não fossem interrompidas. Então, eu e mais um colega, que também era analista, tínhamos que andar pela empresa, a fim de verificar se tudo estava funcionando bem.

Quando algo dava errado, ou quando a produtividade era comprometida, nós éramos chamados para investigar e ajudar a resolver o problema.

Logo percebi que, muitas vezes, quando o processo não ia bem, a questão não era o produto químico envolvido nele, mas, sim, as pessoas; eram elas que não estavam bem; eram elas que tinham suas dificuldades e desafios.

Quando eu chegava para ver o que tinha dado errado, as pessoas soltavam no meu colo todas as suas tristezas e lamentações. "Ai, Bruno, hoje deu tudo errado para mim, estou sem cabeça, porque ontem meu marido chegou em casa bêbado!" "Ah, Bruno, estou desconcentrado. Não sei mais o que fazer. Estou cheio de dívidas!" E eu as ouvia. Então, naturalmente, me envolvia com os problemas delas, absorvendo essa energia. Por mais que eu já soubesse um pouco sobre espiritualidade e bionergia, sentia a pressão de ter de ajudá-las.

E foi assim que cheguei à minha pior fase, porque, além de absorver a energia e não ficar bem, eu não conseguia ajudar essas pessoas.

Bem, o meu caminho de cura e melhora começou com o estudo da terapia natural conhecida como Reiki. Daí eu parti para diversas outras terapias, como reflexologia, cromoterapia, radiestesia, bioenergética, Fitoenergética... Nem me lembro mais quantas terapias alternativas estudei. Porém, o mais importante aqui, é que foi no meio desse processo que eu tive uma ideia de como auxiliá-las.

Todos os dias, passei a levar no bolso da minha camisa uma folha de papel A4, cortada ao comprido, e dobrada em três partes. Sempre que andava pelos corredores da empresa e alguém reclamava da vida para mim, eu dizia: "Olha, eu trabalho com um grupo de oração e posso colocar o seu nome lá, ou o nome dos seus parentes." Então, ia colhendo o nome das pessoas para a oração.

À noite, eu chegava ao meu apartamento, em Porto Alegre-RS, tomava um banho, me energizava, e ia para diante do meu altarzinho. Primeiro, elevava meus pensamentos a Deus, começava a oração, e depois ia falando, em voz alta, todos os nomes que tinha anotado.

Este era o meu grupo de oração:
eu e as forças espirituais que estavam comigo.

VOCÊ ESTÁ SE PERGUNTANDO SE FUNCIONAVA?

Sim, funcionava. As pessoas por quem eu orava vinham me relatar suas transformações, porém, sempre foi algo muito empírico, que brotava do meu coração.

Eu nunca deixei de estudar espiritualidade. Mais tarde, senti um chamado enorme, e troquei a carreira de químico para ser terapeuta holístico. Atendi em consultório. Em seguida, comecei a dar cursos e palestras com a minha amiga e sócia, Patrícia Cândido, e, posteriormente, abrimos o Luz da Serra. Todo esse caminho foi permeado por muito estudo e, quando estudamos, trocamos muita terapia.

Então, em um desses momentos de troca, em que a Patrícia estava no papel de terapeuta, e eu, de consultante, entrei em expansão de consciência. Comecei a enxergar um lugar espiritual, com seres de luz. Eles me disseram que aquele local se chamava Centro de Controle do Psiquismo da Terra. Num primeiro momento, um ser falou para mim: "vocês não sabem rezar".

E foi então que eles me ensinaram essa oração, que é a mais poderosa de todos os tempos.

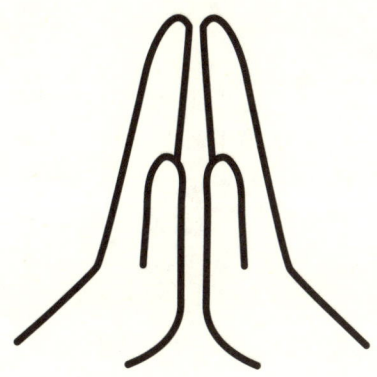

Antes de mais nada, é preciso que você entenda o que é uma oração e o poder que ela tem. Nós estamos aqui, neste planeta, vivendo em um plano do Universo, cercados das mais variadas forças e energias, tanto sutis quanto densas.

Essas forças podem ser manipuladas, e a forma de fazer isso é se conectando com elas.

Sem dúvida, você já ouviu falar de magia obscura, goécia, amarração, e coisas assim. Tudo se trata da manipulação das energias mais densas, mais pesadas — a magia das trevas.

No entanto, se é possível manipular as energias densas, é claro que também podemos manipular as energias sutis, positivas, ou seja, as energias do amor. Essa manipulação é tida como uma magia de luz.

Agora, você lembra que eu acabei de falar que a forma de manipular as forças é se conectando com elas?

E como você se conecta às energias de luz? Através da oração.

Então, entenda: ***oração é a conexão capaz de manipular as energias de luz!***

Vamos pensar numa analogia com o lugar onde você mora. A sua casa tem uma caixa d'água e, a partir dela, sai uma tubulação que distribui a água para todos os cômodos. Então, se você está sujo e precisa tomar um banho, abre uma torneira e recebe a água. Se quer lavar uma louça ou uma roupa, regar o jardim, preparar a comida, e até mesmo beber a água essencial para manter seu corpo funcionando, tudo o que deve fazer é abrir a torneira certa e, pronto, você terá a água de que precisa. Isso só é possível, porque a tubulação está bem conectada à sua caixa d'água, certo?

Agora, imagine que existe uma caixa d'água universal. Dentro dela, está armazenado todo o fluido de cura, de luz e de amor essencial, para fazer com que você tenha a vida dos seus sonhos.

Você quer isso! Você quer conquistar os desejos mais profundos do seu coração.

Você quer ter uma vida plena e abundante. Você quer viver a sua essência, ser a sua melhor versão!

Então, o que você precisa fazer?

Simplesmente, abrir a torneira.

A ORAÇÃO É EXATAMENTE ISTO: A TORNEIRA QUE PERMITE A VOCÊ ACESSAR O FLUXO DE LUZ DO UNIVERSO.

Talvez agora você esteja dizendo: "Espera aí, Bruno! Eu tenho rezado e rezado, todos os dias, sem falhar nenhum! Entretanto, não está dando certo! As minhas orações não são atendidas."

Se esse é o seu caso, não se preocupe, você não está sozinho. Isso é o que acontece com a maioria das pessoas.

SE QUANDO VOCÊ ABRE A TORNEIRA, A ÁGUA NÃO SAI DA COR QUE VOCÊ ESPERA, É HORA DE OLHAR E CONSERTAR A TUBULAÇÃO.

VOCÊ ESTÁ REZANDO ERRADO

Muito bem! Então você tem rezado e suas orações não estão sendo atendidas. Você abre a torneira, esperando água limpa, e recebe água barrenta.

Que torneira exatamente você está abrindo?

A sua tubulação está conectada no lugar certo?

Você já entendeu que a oração é uma conexão que lhe permite manipular as energias, certo?

Então, por que continua com a sensação de que, "quanto mais eu rezo, mais assombração me aparece"?

Desculpe-me dizer, mas é necessário: isso acontece porque você está rezando errado!

O PIOR JEITO DE COMEÇAR UMA ORAÇÃO

Tudo o que sentimos, falamos e vivemos tem o seu campo de vibração. Por exemplo: se alguém fez algo de ruim para você, algo que o deixou muito chateado, o que

você faz? Fica falando disso para todo mundo; reconta a história a cada oportunidade que tem. Você fica melhor com isso? Não! Você fica mal!

Ou há uma situação passada que ficou mal resolvida, e você permanece remoendo. Cada vez que lembra, você revive aquele sentimento. Você fica mal.

Tudo isso é energia e, ao escolher falar, lembrar e remoer coisas ruins, você se conecta com essa vibração.

Por outro lado, tente se lembrar de um momento muito feliz da sua vida; seu casamento, o nascimento de um filho, um presente dos seus pais, algo que um amigo fez para você, qualquer coisa. Busque uma boa memória no seu coração. Duvido que não tenha dado nem um sorrisinho!

Viu? Vibração! Você se conectou.

Então, toda vez que começa uma oração, você se conecta a um campo de vibração. Se a oração vai ser positiva ou negativa, depende do campo de vibração que você vai se conectar.

**A pior forma de começar uma oração
é se tornando um pedinte espiritual.**

Pedinte espiritual é aquela pessoa que começa a oração se lamentando, reclamando da realidade em que está. Por mais que a oração seja devotada a Deus, ela está carregada de mágoa, medo, tristeza. Você cria um campo de energia denso, que vai atrair mais coisas densas para a sua vida, e é por isso que, por mais que a medicina e a farmacêutica tenham avanços, o ser humano está cada vez mais doente: porque vive se lamentando. Lamentação é suicídio em gotas!

"Ah, mas Deus é misericordioso, Ele vai ouvir todo mundo."

Sim, Deus é misericordioso e vai ouvir todo mundo, porém Ele não tem leis diferentes para mim e para você. Existem as leis naturais, e elas valem para todos neste planeta. Deus vai nos ouvir e nos dar exatamente o que pedimos.

E como pedimos?

Com a nossa energia.

Quando você começa se lamentando, envolve o seu campo de energia com a vibração da lamentação. Deus escuta sua lamentação e entende: "aquele ali quer se lamentar". Assim, sempre nos dá o que queremos.

Você não precisa acreditar em mim, sinta-se livre para testar.

Agora, se até aqui você tem rezado desse jeito e não tem funcionado, não é hora de tentar um jeito novo?

A PIOR FORMA DE COMEÇAR UMA **ORAÇÃO** É SE TORNANDO UM PEDINTE ESPIRITUAL.

LAMENTAÇÃO É SUICÍDIO EM GOTAS!

@brunojgimenes
#conexaodequatroetapas

A CONEXÃO DE QUATRO ETAPAS

Foi quando entendi tudo isso que cheguei a esta oração, que é a mais poderosa de todos os tempos.

Eu a chamo de **Conexão de Quatro Etapas**.

Conexão é o jeito da Nova Era se referir à oração, porque é ela que nos permite manipular as forças sutis e balsâmicas, para curar tudo o que precisa ser curado na nossa vida.

Sim, o ser humano é movido à oração, mas tem que ser a oração certa, do tipo "aditivada".

Quando você implementar essa prática no seu dia a dia, vai ver tudo mudar, e todas as áreas da sua vida melhorarem.

Antes de mais nada, você precisa se alinhar às energias sutis, sutilizando a sua vibração, se elevando a Deus, para estar compatível com a energia da Fonte Maior.

Só assim você estará pronto para receber os melhores benefícios de uma oração.

E como você pode fazer isso?
Agradecendo!

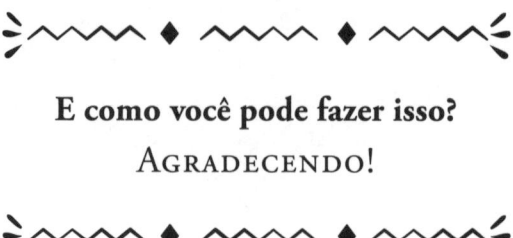

Eu sei, eu sei! Às vezes, parece que não há o que agradecer. Talvez você tenha acabado de perder um ente querido, ou foi diagnosticado com uma doença grave... Como dá para agradecer assim? Olhe ao redor!

Perdeu alguém querido? Que tal agradecer por todas as pessoas que ainda estão vivas? Que tal agradecer pelo tempo que teve com essa pessoa e pelos momentos que puderam compartilhar?

Está doente? Agradeça ter descoberto. Agradeça pelo tempo que teve até aqui e pelo tempo que ainda tem. Agradeça pelos médicos que vão cuidar de você, pelo tanto que a medicina evoluiu, pelas pessoas que estão do seu lado nesse momento.

Encontre padrões. Você vai ver que é uma questão de treino e que, com o tempo, tudo fica mais fácil.

Nos próximos capítulos, vamos analisar cada uma das etapas dessa conexão. Antes, porém, quero que você entenda por que ouso dizer que ela é a oração mais poderosa de todos os tempos.

Quando você começa a Conexão de Quatro Etapas, convoca campos de energia coletivos que fazem com que você jamais esteja sozinho em oração.

Esse campo espiritual coletivo nos permite alcançar uma sintonia energética muito elevada, que é justamente o que faz até os piores problemas serem resolvidos, sem que nenhuma parte da energia negativa deles se grude em você e o coloque para baixo.

Ou seja, você não vai despender a sua energia para transmutar as forças negativas. Pelo contrário, vai se conectar às energias balsâmicas mais elevadas e terminar a oração ainda mais energizado.

/——— // ——— // ———/

PRONTO PARA COMEÇAR?

/——— // ——— // ———/

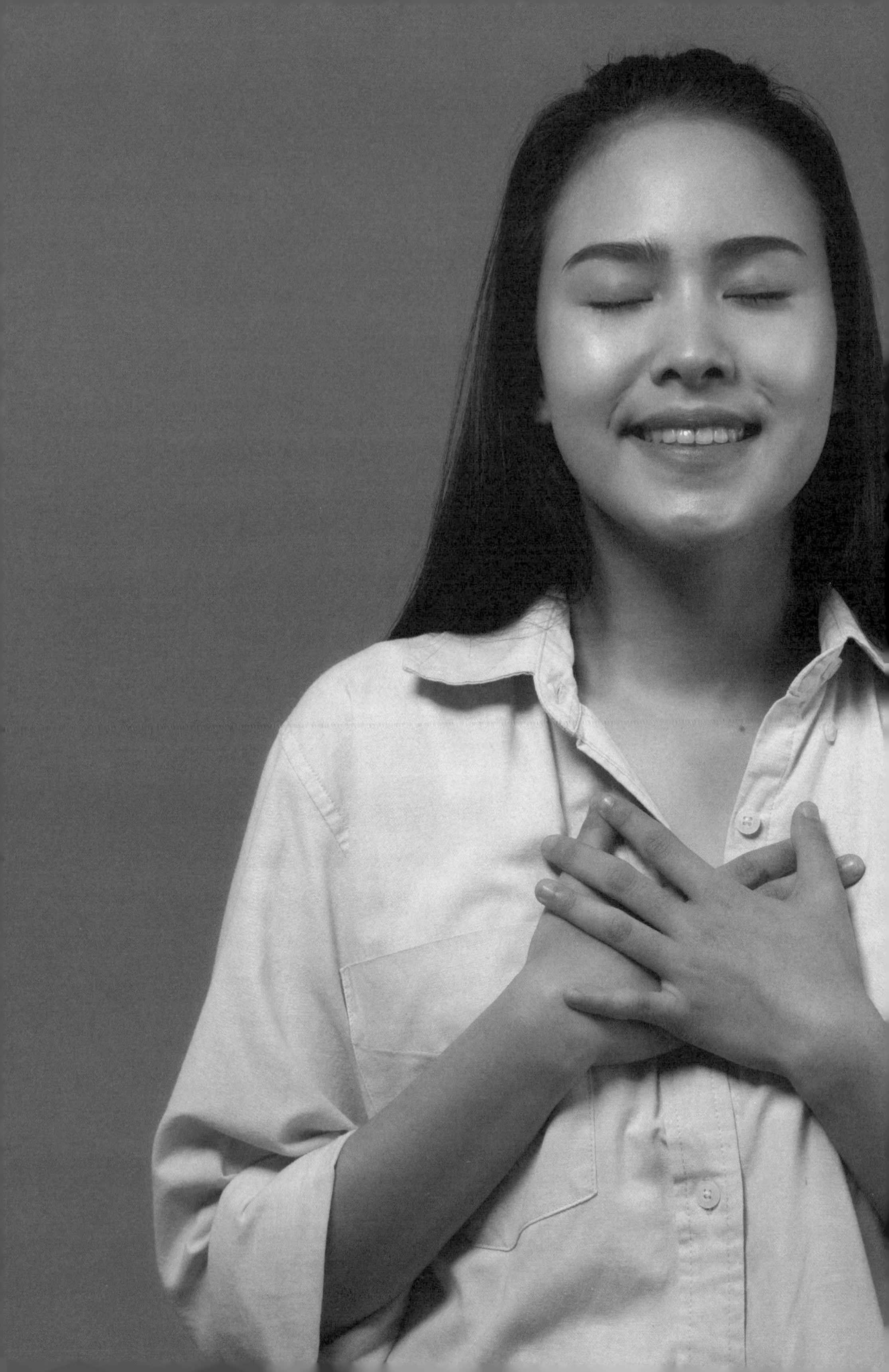

# ETAPA 1: AGRADEÇA

O primeiro passo da Conexão de Quatro Etapas é expandir a sua energia por meio da gratidão. Onde quer que você esteja, do jeito que for, sozinho ou acompanhado, na sua casa ou na igreja, em um lugar barulhento ou no silêncio absoluto, acreditando ou não em Deus. Nada disso importa. Comece a oração agradecendo!

Agradecer não é ignorar o que está ruim, mas enaltecer o que está bom.

A gratidão vem mudando a vida de muitas pessoas e pode mudar a sua também. Para entender, vamos falar um pouco das variações vibracionais da energia.

A ENERGIA E SUAS VIBRAÇÕES

Agora, peço licença para lhe dar uma explicação um pouco mais científica (e prometo que vou tentar colocar tudo de forma bem compreensível).

Antes de criar a lâmpada, Thomas Edison estudou bastante as vibrações do humano, do mundo, do planeta.

Num primeiro momento, ele pegou um filamento metálico, esticou ao máximo e, quando o tocou, percebeu que produzia som, como uma corda de violão.

Continuando com o experimento, percebeu que, de acordo com a energia aplicada, essa corda vibrava em frequências diferentes (diferentes ciclos de vibrações, por segundo). O pensamento dele foi, mais ou menos, o seguinte: se quando toquei a corda ela vibrou a 30 ciclos por segundo, e produziu som, o que acontece se eu a fizer vibrar a mil ciclos por segundo?

Para esse teste, ele precisava de um material mais grosso, uma barra metálica. Quando aumentou muito a vibração nessa barra, para sua surpresa, em vez de som, ele produziu calor. Os experimentos continuaram até que ele aplicou a vibração mais alta, e percebeu que gerava luz. (Posteriormente, para que essa luz não estourasse o filamento quando em contato com o oxigênio, ele criou o bulbo de vidro, e assim nasceu a lâmpada.)

A conclusão a que Edison chegou foi a de que o som, o calor e a luz são manifestações da mesma energia que se comporta de maneira diferente, de acordo com a frequência de vibração.

Mas será que existe algo capaz de vibrar numa frequência ainda mais alta do que a produzida pela luz?

Sim, existe: **o pensamento**!

AS FREQUÊNCIAS DO SENTIMENTO

É assim que nasce a teoria do pensamento novo.

Nossos pensamentos têm uma influência direta sobre os nossos sentimentos, e os nossos sentimentos têm diferentes vibrações energéticas.

Quando pensamos e sentimos alguma coisa, impregnamos o nosso campo energético, a nossa aura, isto é, mudamos a nossa frequência pessoal. Como essa frequência vibra num padrão mais alto que a luz, temos a capacidade de influenciar a realidade.

Se vamos mudar essa realidade para melhor ou para pior, isso vai depender do ponto em que estamos na escala de vibração dos nossos sentimentos.

O que é isso? Imagine que somos como um rádio e temos uma escala. Assim como no rádio, podemos sintonizar estações que estão mais acima ou mais abaixo nessa escala.

Nessa nossa faixa de sintonias, os sentimentos negativos – como raiva, medo, tristeza – estão bem lá embaixo.

Essa vibração pode gerar substâncias degradantes.

Por outro lado, a frequência mais alta, mais pura e mais curativa, é a do amor. Na frequência do amor, não existe doença, dor, medo, insegurança, pena, culpa nem limitação.

Então, o que todo ser humano precisa para estar bem é de amor.

COMO SE ALIMENTAR DE AMOR?

Quando você está com sede, o que você faz? Bebe água, claro! Quando está com sono, vai dormir; quando tem fome, come; quando se sente cansado, se encosta. Tudo isso, você faz por instinto, é natural, certo? Você sabe do que precisa.

Agora, quando estamos mal, tristes, para baixo, nós precisamos nos alimentar da energia do amor. Só que, em vez disso, reclamamos, lamentamos. Fazemos exatamente o contrário do que precisamos.

Então, o que temos que fazer para entrar em contato com o amor?

Existem três formas bem práticas e simples: **AGRADECER, INSPIRAR E ADMIRAR.**

Quando você inspira outras pessoas, você eleva a sua vibração, e o mesmo acontece quando admira o outro, sem notar seus defeitos.

A terceira forma de chegar à vibração do amor, que é também mais simples e prática, é através da gratidão.

Portanto, o que nós mais queremos não é sentir gratidão, mas sentir o amor. A gratidão só é o melhor instrumento para se chegar a essa vibração mais elevada do universo.

ENCHA A GAVETA DA GRATIDÃO

A gratidão funciona como um copo d'água de energia elevada, que mata a sua sede de amor.

Muita gente questiona como pode agradecer diante das dificuldades, mas se você parar e observar, há pelo menos seis mil coisas para agradecer todos os dias.

Então, por que nos parece tão complicado?

Eu gosto muito de explicar isso usando a teoria das gavetas.

Imagine que você tem *uma* gaveta na sua mente. O que você faz? Coloca tudo nessa gaveta: problemas do trabalho, a briga com a esposa, a mágoa do marido, o carro arranhado, o motorista que lhe deu uma fechada no trânsito, a doença do cachorro, a birra das crianças. Tudo, sem distinção, vai para dentro dessa gaveta.

E o que acontece quando você abre a gaveta?

Ela está cheia de tristeza, angústia, mágoa, desapontamento, frustração. Você olha para aquela bagunça, e pensa: "Está vendo? Não tenho o que agradecer. Olha como está a minha vida! Um verdadeiro caos!".

Quando você coloca tudo na mesma gaveta, tem a sensação de que, se agradecer, estará negando toda a dor e sofrimento que existem na sua vida, e, por incrível que pareça, o ser humano é apegado à dor e ao sofrimento.

Então, como resolver isso?

É aqui que entra o segredo: você não tem uma gaveta, mas *duas*. Assim, reserve a gaveta número 1 para as reclamações. Nela, você pode jogar tudo o que não presta.

E o que você faz com a gaveta número 2?

Transforme-a na *gaveta do elogio*, que é onde você vai guardar todas as coisas boas. E, antes de guardar, vai pensar: "obrigada por isso." A gaveta 2 será a gaveta da gratidão.

Um motorista louco fechou você no trânsito e arranhou seu carro? Fechada e arranhão na gaveta 1.

Quanto mais você reza, mais assombração aparece?

Isso acontece porque você está rezando errado!

@brunojgimenes
#conexaodequatroetapas

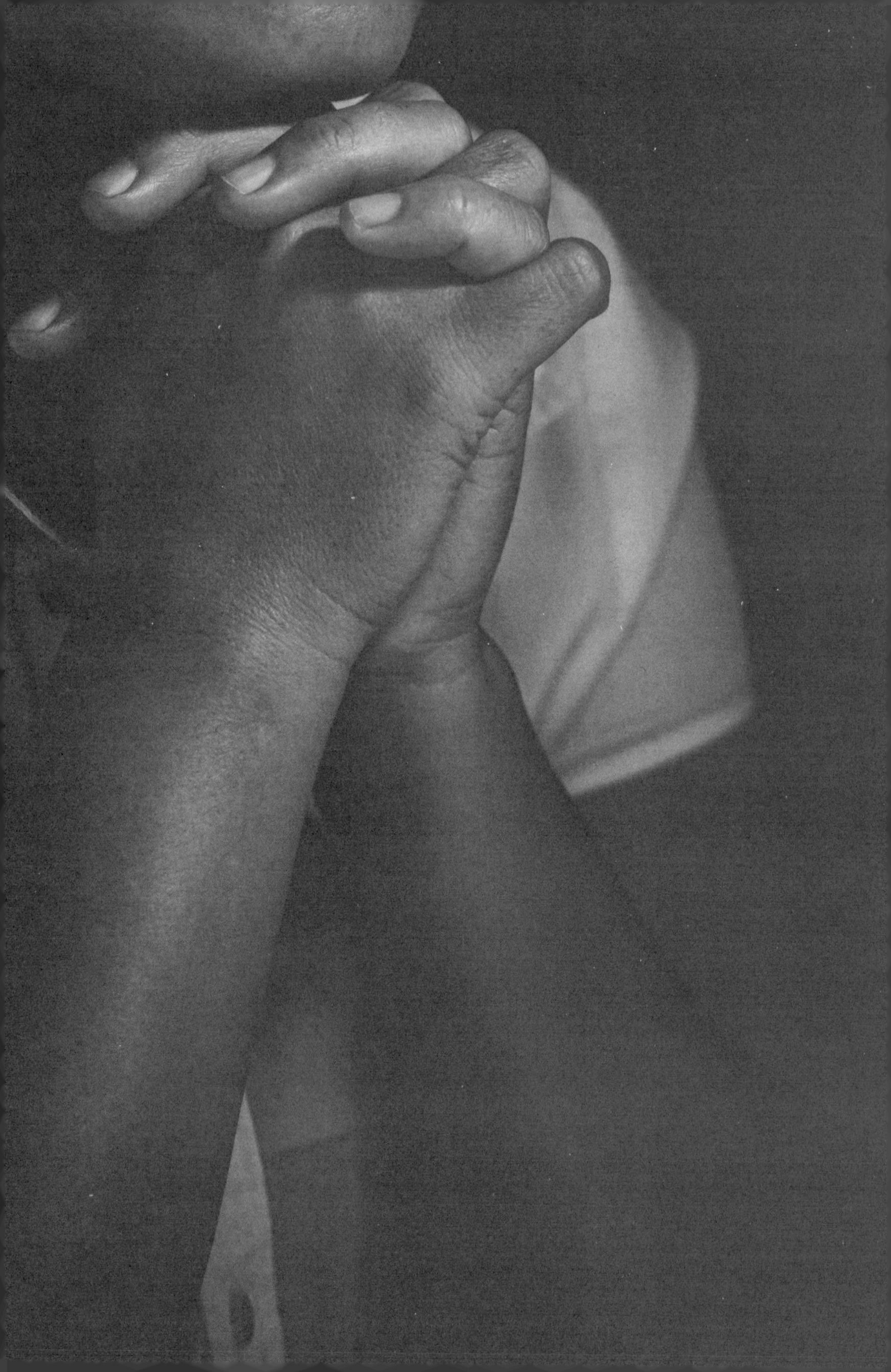

No entanto, você ainda tem um carro e não se machucou, então, ter um carro e sair ileso, vão para a gaveta 2.

Seu ex-marido foi péssimo com você, um traste mesmo, mas cuida muito bem das crianças. Traste na gaveta 1. Bom pai na gaveta 2.

No início pode parecer meio mecânico, mas com tempo e treino, você vai ver que tem tantos créditos na gaveta da gratidão que a gaveta da reclamação vai até parecer pequena.

Quando isso acontecer, e você entender a dádiva que o sentimento de gratidão traz, vai perceber que vale mais a pena agradecer, e isso vai ser tão importante para você quanto beber água, se alimentar, tomar banho, escovar os dentes etc.; você vai sentir a *necessidade de agradecer*.

Então, já sabe: comece sempre a sua oração agradecendo. Agradeça pela vida, pela casa, pelas roupas, pela comida etc. E, ao sentir que a sua energia já está bastante expandida, passe para a segunda etapa.

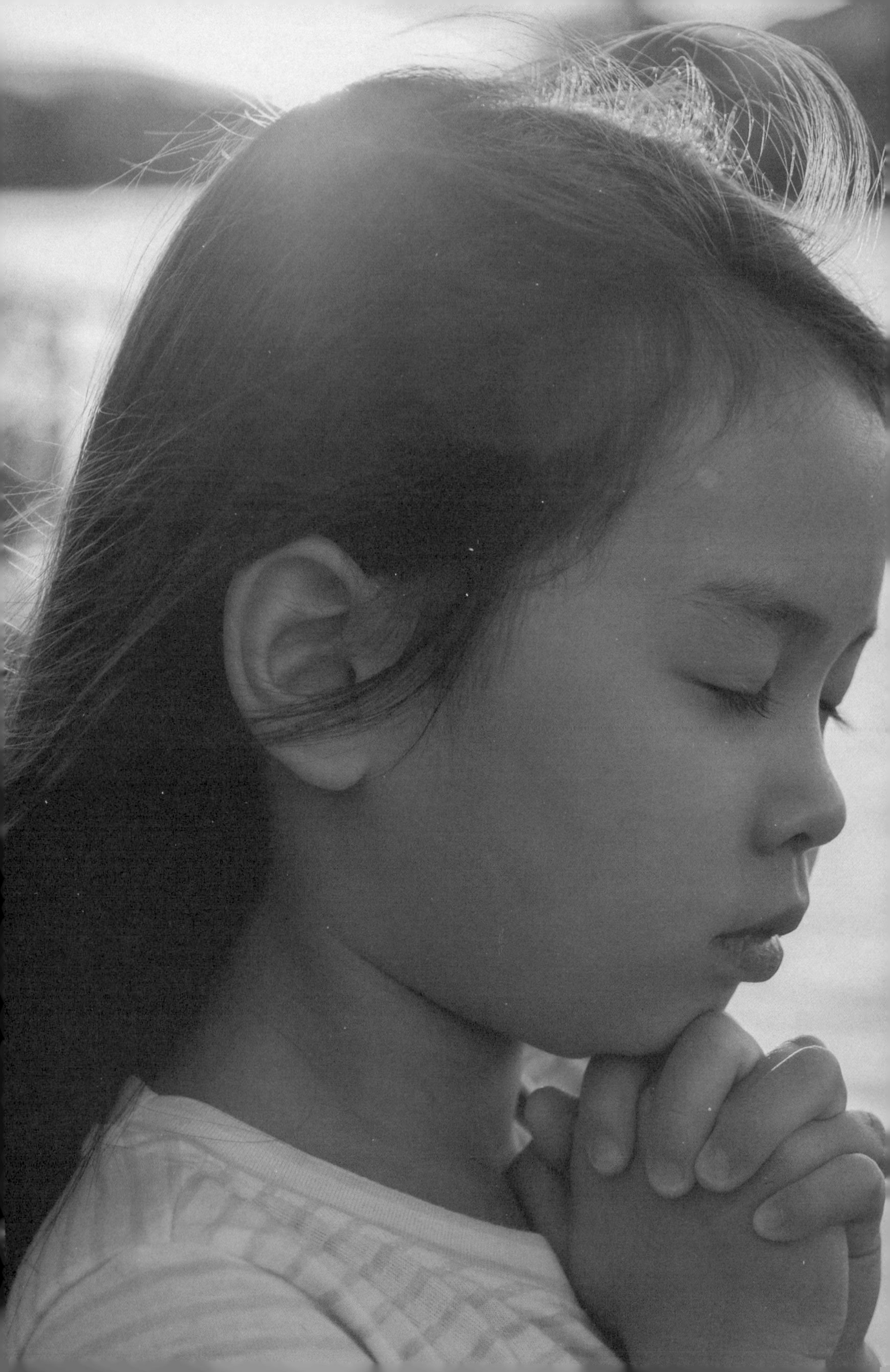

ETAPA 2: CONECTE

A segunda etapa da sua oração é se conectar com outras pessoas que estão nessa mesma vibração de gratidão que você.

Por que isso é tão importante?

Imagine que você está num lugar escuro, segurando uma vela simples, dessas mais comuns. Ela tem uma chama de dois centímetros, três no máximo, certo? Essa chama tem um alcance limitado, que ilumina apenas alguns poucos metros à sua frente, e, quanto mais distante dela, mais escuro fica.

De repente, você percebe que, ao seu redor, começam a aparecer mais pessoas, cada uma segurando a sua vela. O ambiente começa a ficar mais claro, mas, ainda assim, cada chama dessas tem um alcance limitado.

Agora, imagine se vocês começarem a se aproximar e unirem as suas velas. O que acontece com a chama? Ela cresce! Quanto mais velas unidas, maior a chama, e maior seu poder de iluminação.

É isso que acontece quando você está em um estado elevado de energia e, intencionalmente, se conecta com outras pessoas — todas as pessoas do mundo — que estão nessa mesma vibração. A nossa luz, unida, é capaz de iluminar todo o planeta e curar todos os problemas.

Depois que você agradecer bastante e sentir que a sua energia está no ponto ideal, você diz, ou pensa: "eu desejo que a força dessa gratidão se conecte com todo mundo que está nesta mesma vibração, neste momento".

Eu quero que a força de gratidão que estou sentindo agora se conecte com todo mundo que está vibrando em gratidão no planeta.

Em seguida, você fala: "Eu desejo que a força dessa gratidão seja direcionada a todas as pessoas, em qualquer nível e dimensão da existência, que também estão na mesma vibração que eu neste momento".

Agora, sinta, imagine, visualize e acredite que todas essas pessoas do bem, no plano mental e espiritual, as que você conhece, e aquelas que nunca viu, estão juntas e de mãos dadas. Acredite que essa rede é ilimitada, e essa vibração de gratidão fica cada vez mais forte, com o poder de transmutar e curar.

Você vai sentir a energia se expandir mais e mais, e então sua oração seguirá para a terceira etapa.

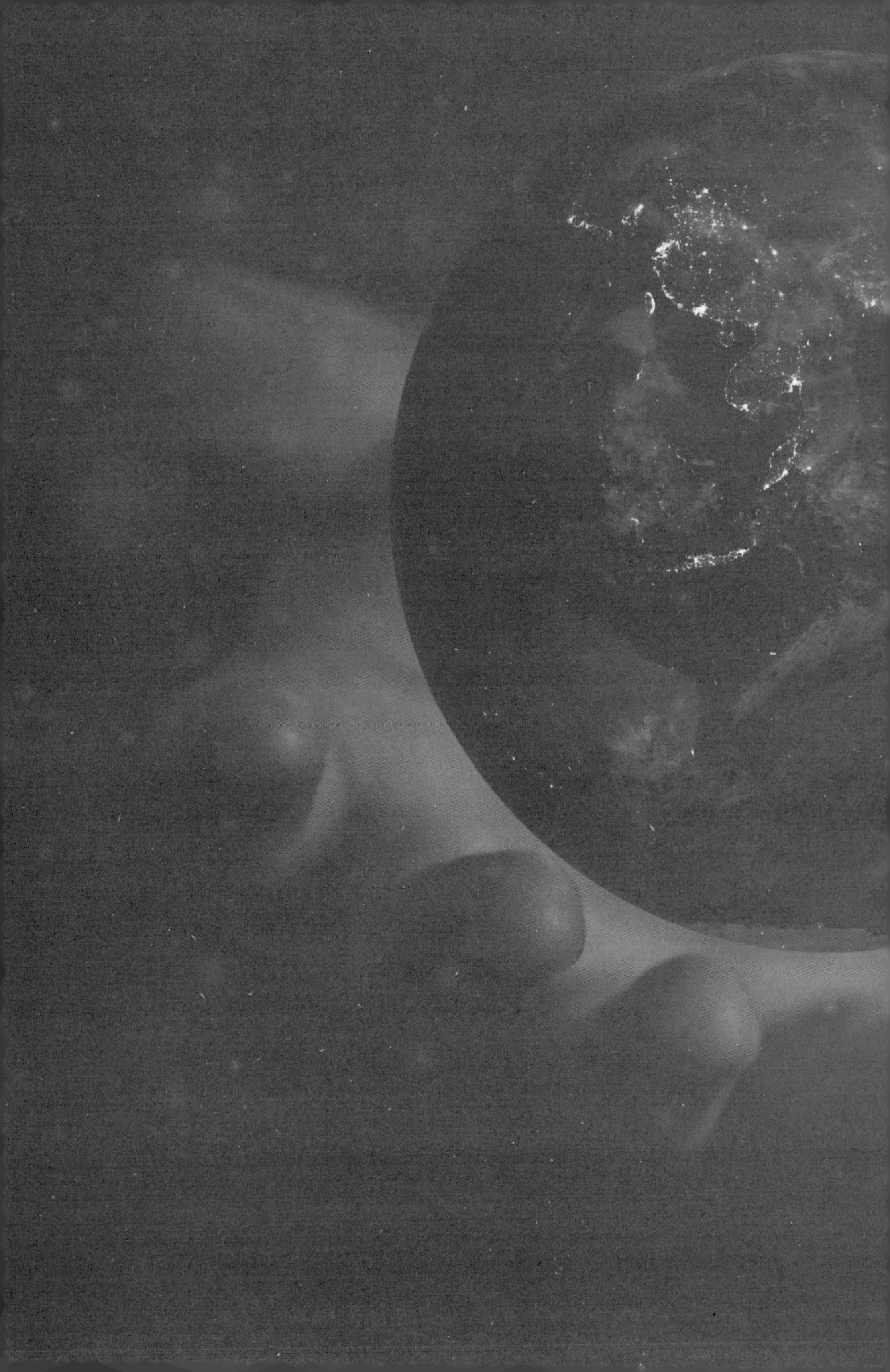

ETAPA 3:
DIRECIONE A ENERGIA

Agora que você tem toda essa força de luz em suas mãos e a seu serviço, o que deve fazer?

Deve primeiro servir.

ANTES DE PENSAR EM SI MESMO, VOCÊ DEVE PENSAR NO MUNDO.

Neste momento, não há espaço para "eu, meu, minha". Não tem meu filho, meu pai, meu irmão, meu amigo. Antes das causas individuais, vêm as causas universais.

Então, você vai direcionar essa energia para todas as causas do mundo que você acha que precisam de ajuda.

Esse é o momento de pedir por causas como: uma barragem que se rompeu, e as pessoas e o meio ambiente foram afetados por isso; um acidente de avião, em qualquer lugar do mundo; crianças passando fome, em algum continente; um atentado à bomba; os desabrigados com frio. Podem ser situações que aconteceram no seu país, ou no mundo, seja de problemas políticos, áreas de conflito e guerra, refugiados, presídios e penitenciárias.

Porém, preste atenção! Aqui, existe uma armadilha! Você não pode se deixar contaminar pela energia desses acontecimentos. Não sofra! Se você começar a introduzir o sofrimento e a lamentação, vai enfraquecer a conexão e diminuir o poder da sua oração, sem conseguir chegar até o fim dela.

Você vai direcionar a energia boa da conexão para essas situações, e não deixar que a energia ruim contamine a conexão. Entendido?

E o que você vai mentalizar, ou dizer nesta etapa, é mais ou menos o seguinte: **"Que essa luz seja direcionada para as crianças com fome no mundo, para as pessoas que sofrem, para todos os políticos e governantes, policiais e bombeiros, para o Exército, a Marinha e a Aeronáutica, para todos os profissionais da saúde, os servidores públicos..."**

Pode acrescentar todas as pessoas que vierem à sua mente, mas sempre pensando em causas maiores. Esta é a etapa de ajudar o mundo.

Depois dela, somente depois que você tiver sido um instrumento de contribuição, chega, enfim, o momento de pedir.

COMECE A PRECE
– AGRADECENDO –
AO INVÉS DE PEDIR

ISSO VAI MUDAR TUDO PARA VOCÊ!

@brunojgimenes
#conexaodequatroetapas

ETAPA 4: EU MEREÇO

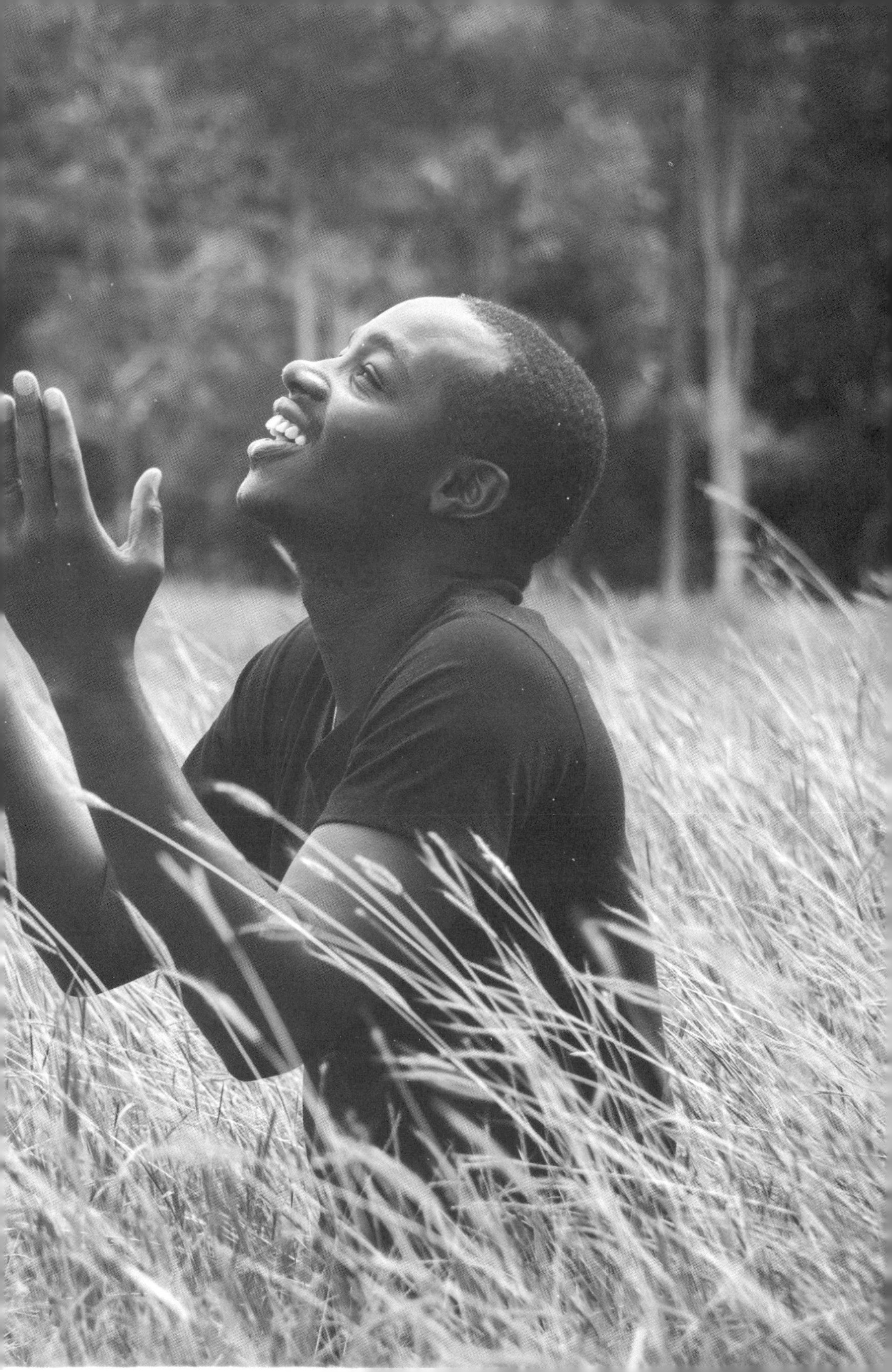

Depois que você sutilizou as suas emoções e elevou a sua energia, se conectou com a luz de todos, na mesma vibração, e mandou essa força para o mundo, chega o momento que chamo de "eu mereço".

Nesta quarta etapa, é o momento do "eu, meu, minha". É agora que você vai pedir o que quer; é aqui que você expressa e entrega para o Universo os desejos mais profundos do seu coração.

Não precisa ter vergonha nem julgamento. O que você quer? Pode pedir.

Arranjar um namorado ou uma namorada, emagrecer e ter mais saúde, destravar uma causa na justiça, arrumar um emprego, ganhar um aumento, ficar rico — todos os pedidos são válidos.

Nesta quarta etapa, você imagina, visualizando com todos os detalhes, tudo o que você quer. Aproveite para pedir para você e para outras pessoas do seu convívio. Ore para pessoas que estão muito doentes, ou oriente essa vibração para uma conquista pessoal, uma meta, um sonho. Você pode, inclusive, fazer essa oração para quem já desencarnou, para que encontre o caminho da luz.

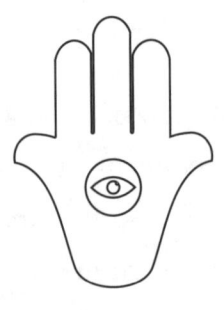

"Mas é só pedir o que eu quero?"

Sim, é simples assim!

O Universo não lhe julga. Ele é abundante. Há o suficiente para todo mundo. Tudo é possível e está ao seu alcance. Deus, o Universo, a Fonte Maior — não importa o nome que você dê — Ele quer que você seja plenamente feliz e, para isso, está disposto a lhe dar tudo o que você desejar.

Tudo que você precisa é fazer a Conexão de Quatro Etapas duas vezes por dia, de manhã e à noite, e, ao chegar na quarta etapa, pedir tudo o que quer.

O que torna a etapa do "Eu mereço" a mais poderosa e correta para você pedir os seus desejos, é porque justamente nela a concentração de energia atingiu proporções globais e transpessoais impactantes.

Na quarta etapa, você entra em um fluxo ilimitado de energia, e a sua simples prece pode fazer coisas incríveis acontecerem.

Deixar seus pedidos para a quarta etapa é esperar a melhor parte da conexão em que o fluxo de bênçãos atinge níveis estratosféricos. Esse é o maior segredo!

ORAÇÃO CONDUZIDA

Vamos fazer juntos uma Conexão de Quatro Etapas? Eu quero lhe convidar para ouvir e fazer comigo uma Conexão de Quatro Etapas, conduzida por mim. Acredito que irá entender facilmente, na prática, como executar perfeitamente cada fase.

Acesse o vídeo por este *QR Code*[1], ou então leia a descrição, que está logo a seguir.

---

[1] Para que esse conteúdo adicional seja exibido, você precisa usar a câmera do seu celular para escanear as imagens do código. A maioria dos celulares possui o leitor de QR Code, mas caso você não o tenha em seu aparelho, baixe gratuitamente o aplicativo *QR Code Reader*.

Além disso, vou lhe explicar como conduzo uma Conexão de Quatro Etapas, veja:

Comece a sua oração respirando profundamente. Inspire o ar e expire com muita suavidade e tranquilidade. Mesmo que qualquer pensamento ou preocupação queira surgir na sua mente, apenas se concentre na sua respiração: no ar que entra, no ar que sai, num ciclo contínuo.

Não queira nada, não pense em nada, apenas siga se concentrando na sua respiração, que deve ser profunda e suave. Profunda a ponto de você sentir o seu peito se expandindo, as escápulas se abrindo, e o seu tórax crescendo.

Sinta que todo o seu corpo recebe esse fluxo abençoado de uma respiração renovada. Faça, ao menos, vinte ciclos de respiração profunda dessa forma, sentindo o ar que entra e o ar que sai, com consciência.

Neste estado de paz e tranquilidade, que já começa a tomar conta de você, eleve o seu pensamento às coisas boas que a vida já lhe deu. Mesmo qualquer pessoa, em situação difícil, de dor, de doença, de fracasso, mesmo uma pessoa assim, tem muito o que agradecer.

Não há, neste mundo, uma pessoa que não tenha motivos para agradecer demais. E as coisas que não vão bem, não interessam agora.

Você precisa apenas se lembrar de quantas bênçãos tem nesta vida. Agora. Aqui. Basta que você olhe um pouquinho para o seu passado, e veja quantas bênçãos você já recebeu: a sua vida, talvez a sua família, talvez a sua cidade, os animais de estimação, as pessoas ao seu redor, os seus amigos, o seu alimento, o seu banho diário, e tantas bênçãos que você tem para agradecer.

Neste instante, mergulhe nesta sintonia. Esqueça tudo e se concentre apenas nas coisas boas que você tem. Neste momento, aqui e agora, entre neste estado de paz. Sinta que, quando se concentra nas coisas boas que a vida já lhe deu, que você já conquistou, que você já vivenciou, você vai se expandindo de dentro para fora, em um estado de paz, alegria e gratidão. Um sentimento de conexão com o Todo toma conta de você, porque, neste instante, você também está em conexão com as bênçãos do Universo.

Ao sentir essa paz, tranquilidade e alegria, simplesmente intencione a força desta oração. Deseje que esta energia que se forma, no aqui e no agora, seja direcionada a todas as pessoas deste mundo, sejam elas encarnadas ou desencarnadas, conhecidas ou desconhecidas.

Intencione que a luz dessa energia que você projeta agora seja enviada a todas as pessoas que rezam neste mundo. E não importa se elas estão rezando agora ou em outros horários. Não importa se elas são de uma ou de outra religião. Apenas mentalize pessoas, sem querer entender por quê.

Mentalize essas pessoas e deseje que a luz dessa energia seja enviada para todas elas, em todos os lugares do mundo. Sinta que, quando você intenciona que a luz da sua oração encontre todas essas pessoas, a sua própria energia se expande, porque ela passa a fazer parte de um grande circuito de forças maiores. Essas são forças balsâmicas, carregadas de amor e de bem--aventurança.

Então, simplesmente e objetivamente, deseje que a luz dessa sua intenção positiva e de gratidão encontre todas as pessoas do mundo que rezam, que fazem prece, que se conectam com o benefício da oração. Sinta que, neste instante, você faz parte de um grande fluxo, um grande circuito, e a sua força também fica grande e ilimitada.

Ao fazer parte dessa força ilimitada, concentre-se em intencionar que a luz dessa conexão seja enviada para todas as causas do mundo que você, simplesmente, quer desejar que recebam mais força, luz e energia.

Emane a intenção que a luz dessa conexão seja enviada a todos os hospitais, hospitais psiquiátricos, a todas as pessoas que se encontram num leito de hospital, doentes, em sofrimento, sejam hospitais do plano físico ou espiritual.

Que a luz dessa conexão seja enviada a todas as penitenciárias, casas de detenção, presídios, e que possa iluminar a mente, os corações, os sentimentos de todas as pessoas que lá estão.

Que essa luz também ilumine todos os líderes do nosso mundo, em todas as áreas da vida, sociais, políticas ou religiosas. Que a luz dessa oração ilumine todas as pessoas que trabalham com a saúde e com a ajuda ao próximo, como médicos, terapeutas, enfermeiros. Que a luz dessa oração seja enviada a todas as pessoas que se dedicam a ajudar ao próximo.

Que a luz dessa conexão seja enviada a todos os bombeiros, policiais e pessoas que trabalham para a comunidade. Que a luz dessa oração seja enviada a todas as áreas de guerra, de conflito e de desentendimento, levando amor, paz e tranquilidade. Que a luz dessa conexão seja enviada a todas as pessoas que sofrem, envolvidas nos mais diversos vícios e dores.

Que a luz dessa conexão seja enviada a todos os orfanatos, creches e casas de caridade que trabalham auxiliando o próximo, além de todos os moradores de rua.

Direcione essa energia a todas as pessoas que estão com o coração aberto para receber essa luz.

Que essa luz também seja enviada a todos aqueles que nasceram no dia de hoje e a todos aqueles que desencarnaram no dia de hoje.

Que a luz dessa oração seja enviada a todos os nossos antepassados, a todos os nossos parentes que já desencarnaram, e também a todos aqueles que estão presentes ao nosso lado, nesta vida, nesta encarnação.

Que essa luz seja enviada a todos os nossos amigos e inimigos, encarnados e desencarnados.

Que essa luz seja enviada a todos os nossos projetos pessoais. Que essa luz seja direcionada aos seus desejos pessoais de crescimento, prosperidade, alegria, abundância e saúde.

E, neste momento, basta que você pense na situação, ou no projeto de vida, que você quer ver crescendo, se desenvolvendo, aflorando, ganhando vida. Que a luz dessa conexão atue sobre isso.

Que a luz dessa conexão também possa atuar em nome de todos aqueles que você acha que precisam de ajuda. Imagine que uma linda luz de proteção e de bênção está atuando nas pessoas e situações que você desejar.

Que a luz dessa conexão também atue sobre os animais e os ambientes que você visualizar. E que a luz dessa conexão lhe mostre o caminho a ser seguido. Uma jornada de luz, paz, bem-aventurança, amor e crescimento.

Que assim seja, e sempre será, porque assim é.

ROTINAS DE ORAÇÃO PARA CADA ÁREA DA SUA VIDA

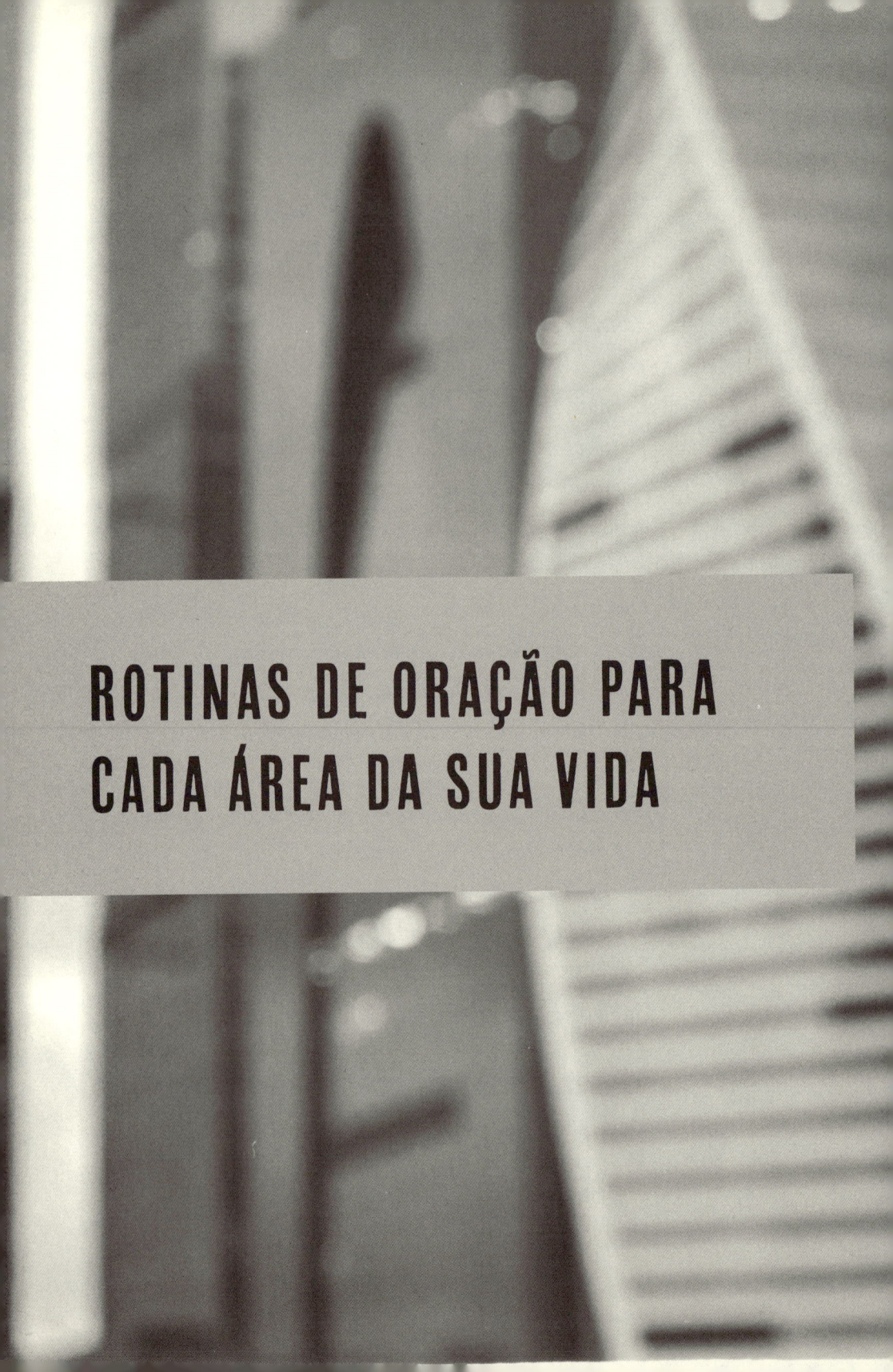

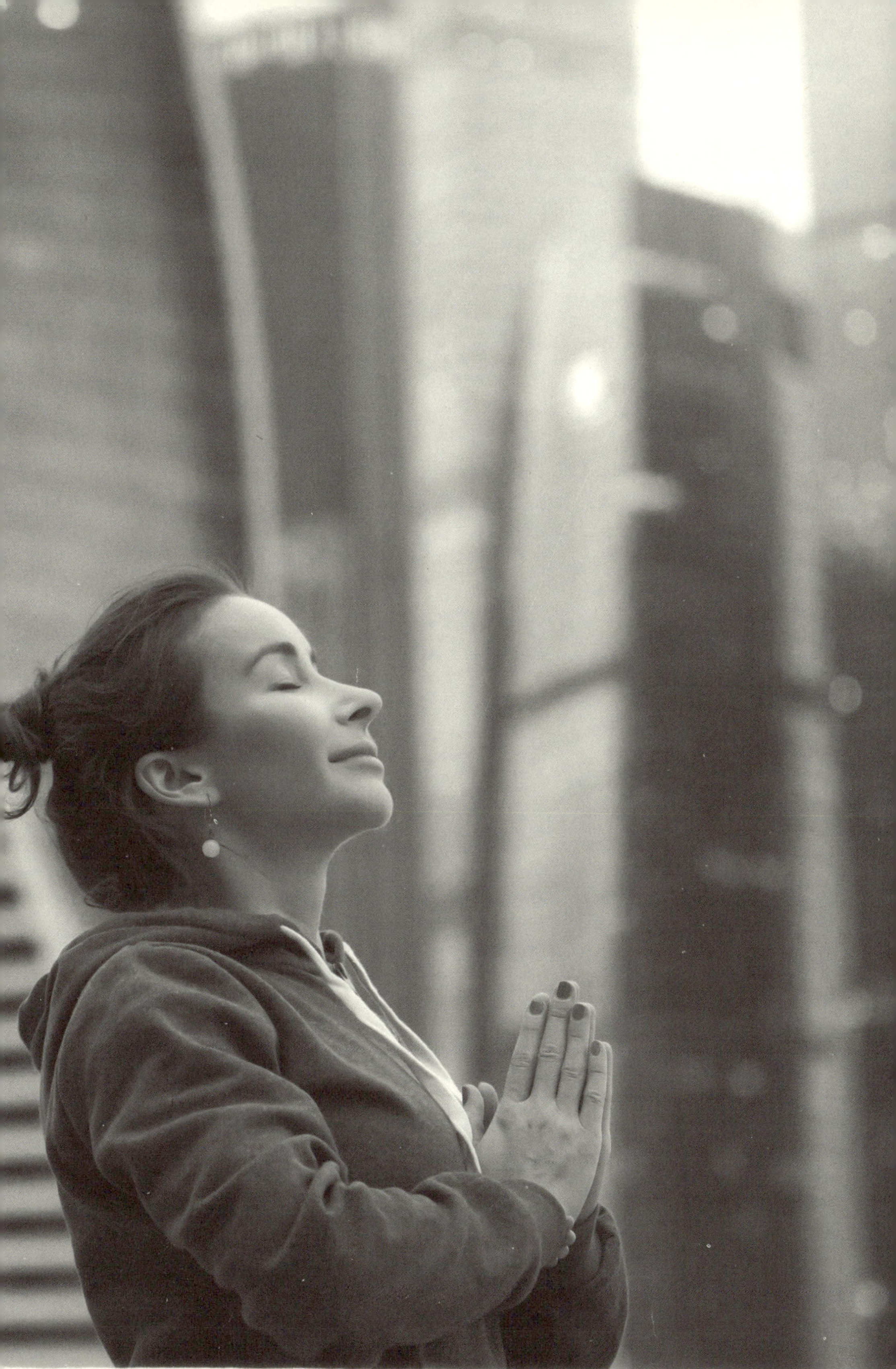

Agora, quero compartilhar com você a Conexão de Quatro Etapas, adaptada para quatro áreas específicas da sua vida: *prosperidade, relacionamentos, saúde, e campo espiritual.*

Recomendo que comece nessa ordem, e repita a conexão por sete dias, antes de passar para a área seguinte.

Você deve fazer a conexão, no mínimo, uma vez por dia, mas aconselho que faça duas vezes, se possível, ao acordar e antes de dormir. Claro, isso não quer dizer que você não possa fazer mais vezes. Pode, sim. Você pode fazer uma conexão sempre que sentir que está precisando de uma ajuda extra, para uma situação específica.

As pessoas também costumam perguntar por quanto tempo devem fazer essa conexão. Eu acredito no poder da oração, da mesma maneira que acredito que uma pessoa precisa tomar banho todos os dias.

Então, minha resposta é que você deve fazer uma conexão todos os dias, de preferência, a Conexão de Quatro Etapas, para que você ore da forma certa, da forma que funciona.

O CIRCUITO PODEROSO PARA TRANSFORMAR COMPLETAMENTE A SUA VIDA (DESAFIO DE 4 SEMANAS)

PRIMEIRA SEMANA: PROSPERIDADE E VIDA FINANCEIRA

A primeira semana de conexão é dedicada a trabalhar as questões da prosperidade na sua vida. Acredite: atualmente, de cada dez pessoas, no Brasil (e até no mundo), sete estão insatisfeitas com trabalho. O nível de endividamento das famílias brasileiras cresce a cada ano, e há uma pesquisa que diz que a média de dívida dos brasileiros chega a ser sete vezes maior que a sua renda mensal. As pessoas estão insatisfeitas no trabalho, e estamos vendo, cada vez mais, o aparecimento de doenças da alma. Tudo isso tem ligação direta com a prosperidade.

Em primeiro lugar, é preciso entender o que é prosperidade.

Prosperidade é um fluxo resultante do seu magnetismo pessoal, que, assim como um ímã, é responsável por atrair para a sua vida situações de mesmo padrão. Então, se o seu magnetismo pessoal é de abundância, alegria, harmonia e felicidade, você vai atrair coisas nesta sintonia. No entanto, se o seu magnetismo pessoal é de preocupação, escassez, medo, incertezas e insegurança, você atrairá acontecimentos deste padrão, e é isso que determina a sua prosperidade.

Para resumir, prosperidade é um fluxo que motiva o seu nível de saúde, felicidade, realizações, dinheiro (obviamente), e quantidade de situações de novidade. A prosperidade está ligada à sua capacidade de atrair situações novas, que ampliam, abrem caminhos, e o tiram do conforto que o faz mal.

As pessoas passam por problemas graves de prosperidade, porque suas emoções, pensamentos, sentimentos, sentido da vida e propósito estão desequilibrados.

Obviamente, o ser humano tem tendência a dar mais atenção a questões financeiras, considerando, logo de cara, que, se suas finanças não vão bem, tudo vai mal. E há de se convir, isso é real, porque o dinheiro é o recurso vital da terceira dimensão. No plano espiritual, temos a energia, as intenções, e o amor.

No plano físico, temos o dinheiro para fazer as trocas. É com dinheiro que você paga a sua comida, a escola do seu filho, os pneus do seu carro, o ingresso do cinema etc.

Você precisa de dinheiro, mas deve saber lidar com esse recurso de forma que ele não o domine, e é o que quase sempre acontece em nossas vidas, quando o utilizamos para afagar sentimentos, pois estamos viciados nas sensações que determinadas questões ligadas a ele nos trazem.

Por outro lado, muitas pessoas estão totalmente bloqueadas, e associam o dinheiro ao "mal". Essas pessoas se esquecem que só com dinheiro — e bastante dinheiro, de preferência — você pode dar a sua contribuição para construir um país, além de tornar seu estado, sua cidade e seu bairro melhores. O dinheiro é necessário para realizar projetos que mudem a vida das pessoas.

Como todas as outras coisas, o dinheiro em si não é bom nem mau. Boa ou má é a maneira como você o usa. Veja o fogo, por exemplo. Você diria que o fogo é algo ruim? Não é, ao menos que ele seja utilizado da forma errada.

As pessoas levam muito a sério a questão das finanças, mas de forma tão confusa que isso vai impregnando um padrão de pensamentos e sentimentos que bloqueia a vida. Assim, tudo vai ficando cada vez pior.

A primeira conexão adaptada que vamos compartilhar é voltada para mexer com a prosperidade da sua vida e das pessoas ao seu redor. Lembre-se: a Conexão de Quatro Etapas consiste em você fazer as três primeiras delas num processo de "conçentração e expansão de energia"; e a quarta, num processo de "olhar para si mesmo".

CONEXÃO DE QUATRO ETAPAS: PROSPERIDADE

Respire e relaxe. Deixe a sua respiração suave e profunda. Sinta as escápulas se abrindo quando você inspira, e se soltando quando expira. Faça essa respiração consciente e profunda, por algumas vezes, tendo o cuidado de perceber que o tempo de inspiração é o mesmo tempo de expiração. Inspire e expire, no mesmo tempo, com suavidade.

Mantenha os olhos fechados. Não queira nada, não pense em nada. Apenas se entregue a esse estado de paz e tranquilidade que começa a surgir dentro de você.

Neste exato momento, comece a agradecer a vida que você tem. Agradeça por estar aqui e agora. Agradeça por poder respirar. Mesmo qualquer pessoa com muitos desafios, dores, anseios e necessidades tem muitas questões para agradecer.

Agradeça pelas pequenas coisas da vida. É provável que você se lembre da alegria de ter um animal de estimação próximo, um cachorro, um gato, um passarinho. É provável que se lembre daquela pessoa que convive com você, que trabalha com você, que more perto de você, ou com você, que sempre sorri e lhe cumprimenta.

É provável que você se lembre das coisas boas que viveu, hoje ou ontem, da sua roupa, do seu banho, do seu alimento. É provável que se lembre de quantas coisas já recebeu, de quantas coisas você já fez, em quantas bênçãos já vivenciou.

Agradeça por quem você é, pela casa em que você vive, pelas coisas materiais que você tem, por seus amigos e familiares. Agradeça pelos seus pais, estejam eles onde estiverem. Agradeça por seus familiares, estejam onde estiverem. Agradeça pelo país onde você mora, a cidade onde você mora, o mundo em que você vive.

Agradeça a água, o céu, o sol, a lua, a chuva, a natureza. Sinta que, no seu coração, uma chama de luz se acende à medida que você vai agradecendo. E, quanto mais você vai se lembrando de coisas, situações e acontecimentos para agradecer, mais essa chama de luz ilumina seu coração, expandindo toda a sua força de gratidão. E você sente essa força dentro de você.

Agora deseje, acredite e intencione que a força dessa gratidão por todas as bênçãos da sua vida seja direcionada a todas as pessoas, no plano físico ou espiritual, em qualquer nível e dimensão da existência humana. Que seja direcionada a todas as pessoas que, neste momento, estão conectadas nessa mesma sintonia.

Imagine, acredite e perceba pessoas de todos os níveis e lugares sintonizadas nessa mesma conexão. E você deseja que a luz da sua gratidão se conecte com todas essas energias e pessoas. Neste momento, você sente que faz parte de um grande grupo de seres que estão engajados em concentrar essa energia. Agora, você pode sentir.

Essa energia fica ainda mais forte.

Então intencione que a luz dessa grande rede de que você também faz parte seja direcionada aos quatro cantos do mundo. Imagine que ela chega a todos os lugares e ambientes em que uma energia mais qualificada e amorosa seja necessária.

Que essa luz seja oferecida a todos os governantes, políticos e líderes sociais, religiosos e de todas as áreas da vida. Que essa luz seja direcionada a todas as pessoas que lideram e decidem. Que essa luz seja oferecida a todas as áreas de guerra, conflitos, de refugiados. Que essa luz leve conforto a todas essas pessoas, e esperança a todos esses ambientes.

Que essa luz encontre todas as penitenciárias, casas de detenção, presídios, masculinos e femininos. Que todas as pessoas que estão lá sejam envolvidas por uma luz de consciência e discernimento.

Que essa luz seja oferecida a todos os hospitais, hospitais psiquiátricos, hospitais de câncer. Que essa luz seja oferecida a todas as pessoas que trabalham nesses hospitais, a todas as pessoas que estão no leito desses hospitais, a todas as pessoas que cuidam.

Que essa luz seja oferecida a todas as pessoas que ajudam outras pessoas – profissionais da saúde, terapeutas, psicólogos, psiquiatras, coaches, profissionais responsáveis e empenhados em melhorar a vida de outras pessoas.

Que essa luz seja oferecida a todas as ONGs, instituições e organizações que ajudam outras pessoas.

Que seja oferecida a todas as pessoas que vivem na marginalidade, mas querem sair disso.

Que essa luz seja respeitosamente oferecida a todas as pessoas enveredadas em vícios, em doenças e drogas, mas querem sair disso. Que essa luz seja respeitosamente oferecida a todas as pessoas e criaturas que desencarnaram no dia de hoje, que precisam de luz e discernimento para seguirem adiante.

Que essa luz seja oferecida a todos os lugares onde aconteceram acidentes, naturais ou causadas pelo homem, em que muitas pessoas morreram, e muitos abalos aconteceram. Que essa luz encontre esses lugares e leve amor, equilíbrio e bem-aventurança.

Que essa energia seja também oferecida aos nossos antepassados, aos nossos parentes que já se foram. Que essa energia seja oferecida ao nosso grupo espiritual, a todos os nossos parentes e amigos, aos nossos projetos pessoais.

Que essa bênção seja oferecida aos nossos familiares, à nossa saúde, e à nossa proteção espiritual. Que essa luz, amorosa e respeitosamente, atue em todos os elementos que convergem para a nossa prosperidade.

Neste momento, se concentre na sua própria vida e imagine a luz dessa conexão atuando sobre ela, cortando, transmutando e equilibrando sintonias negativas do seu passado, que afetam a sua prosperidade.

Imagine a luz dessa grande rede atuando na sua família. Atuando na consciência do seu pai, atuando na consciência da sua mãe, estejam eles onde estiverem. E imagine que essa luz vai atuando em toda a sua cadeia familiar, removendo, transmutando e purificando todos os empecilhos que bloqueiam e atrapalham a sua prosperidade.

Que essa luz possa atuar nas suas relações com as pessoas ao seu redor. Que essa luz possa atuar fortalecendo a sua conexão com os bens materiais de forma equilibrada. Que essa luz ajude a limpar, da sua mente e do seu coração, toda a culpa que a prosperidade pode lhe trazer de forma inconsciente.

Que essa luz possa abrir sua visão do quanto o magnetismo do dinheiro pode ajudar sua realidade e a vida das pessoas ao seu redor. Ela pode transformar você em uma pessoa mais poderosa ainda, em termos de realização da missão de vida. Que essa luz possa atuar em todo o seu DNA físico e espiritual, removendo padrões inconscientes que bloqueiam a sua prosperidade.

Que essa luz possa ajudar a limpar todos os níveis e dimensões da sua consciência, do seu discernimento, para que a prosperidade brilhe na sua vida. Que essa luz definitivamente ajuste o seu magnetismo pessoal para amar, perdoar, aceitar, entender, organizar e transmutar tudo aquilo que tem influência na sua prosperidade, para que você flua no seu melhor magnetismo. Sinta, neste momento, tudo limpo, claro e tranquilo. Tudo está relaxado, e em paz.

Absorva esse sentimento da sua prosperidade e do seu fluxo pessoal ajustados. Sinta o discernimento que promove a capacidade de saber o que fazer com bens materiais e sucesso. Que lhe traz paz, segurança e amparo para saber o que fazer com prosperidade, alegria e novidades. Você merece esse sucesso.

A abundância é uma lei natural, e basta que você apenas esteja em sintonia com ela. Neste momento, repita três vezes, mentalmente: "Eu estou em sintonia com a abundância".

Então, simplesmente, agradeça, relaxe e respire. Sinta essa sensação boa de prosperidade. Lentamente, aos poucos, venha retornando, abrindo os seus olhos, despertando para o aqui e agora, e sentindo essa vibração incrível.

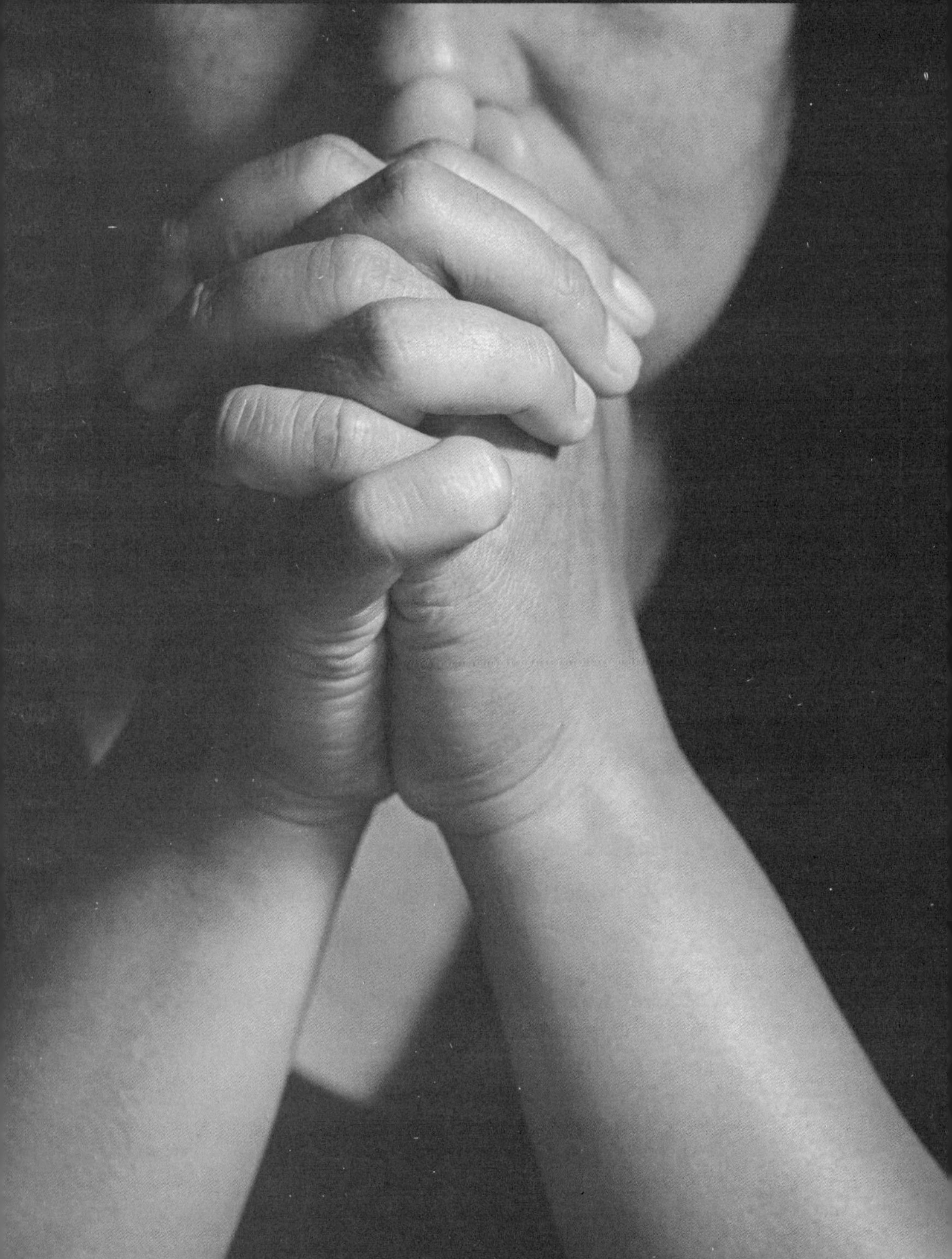

A ORAÇÃO...

É A CONEXÃO CAPAZ DE MANIPULAR AS ENERGIAS DE LUZ.

@brunojgimenes
#conexaodequatroetapas

SEGUNDA SEMANA: RELACIONAMENTOS E FAMÍLIA

Esta é uma das questões que mais afetam a vida das pessoas: conflitos na família e nos relacionamentos. Sem dúvida, quando você aprende a lidar com essas situações, e com toda a carga emocional e energética que elas envolvem, sua vida se torna muito melhor.

Os conflitos funcionam em sua vida como os sacos de areia presos a um balão, que o puxam para baixo, impedindo-o de voar. Você nem percebe, mas os conflitos e as dificuldades familiares, a necessidade de ser aprovado pelas pessoas, de querer ajudar o outro, mesmo que ele não queira ser ajudado, tudo isso o afeta de maneira negativa.

Ora, porque queremos que uma pessoa seja do jeito que nós achamos que deve ser; ora, porque alguém acha que temos que ser do jeito que ele quer; ora, porque tentamos ajudar em um conflito entre marido e mulher, pais e filhos, vizinhos ou parentes. O fato, é que os relacionamentos são regiões de construção de emoções, que podem ser negativas ou positivas, mas, sejam quais forem, ficarão gravitando no seu campo de energia pessoal.

São muitas as questões que interferem nesse processo, de não aceitar o outro como ele é, de não perdoar o outro pelo que ele fez, de culpar as outras pessoas. Isso tudo mostra que não nos colocamos no lugar em que deveríamos nos colocar, que é o lugar de ouvir a nossa história, o nosso chamado pessoal.

Ninguém, além de você mesmo, pode enxergar o mundo com as lentes da sua consciência. Ao querer enxergar o mundo do outro com a sua própria lente, ou de o outro querer enxergar o seu mundo com a lente dele, surgem os conflitos e as manipulações.

Os conflitos, com a sua mãe, o seu pai, o seu chefe, vizinho, marido, ou filho, realmente estão abalando sua energia de uma maneira negativa. Eles fazem parte da concepção humana, existindo desde os primórdios.

Agora, você consegue imaginar o que pode estar no campo de energia de cada um de nós, ao longo dos tempos, se formos olhar para os nossos antepassados, ou até para vidas passadas? Quantas raízes emocionais e energéticas, estão gravitando ao nosso redor, atuando sobre nós, e nos impedindo de sermos felizes? E, o pior de tudo: nós mesmos somos responsáveis por retroalimentar esse círculo vicioso.

A próxima conexão ajuda em qualquer tipo de relacionamento, mas também auxilia a necessidade humana, de querer ver bem os nossos amigos, filhos, pais, e todas as pessoas ao nosso redor. Nós nos importamos muito, sentimos uma dor profunda, quando vemos alguém querido sofrendo, entretanto, não dá para ajudar errado. Você só pode ajudar uma pessoa se a sua ajuda não interferir no aprendizado dela.

A quarta etapa da conexão, que você vai aprender agora, está um pouco "ajustada", para que você tenha como intenção trabalhar todas as questões dos seus relacionamentos, questões cármicas, tanto desta vida quanto de vidas passadas.

CONEXÃO DE QUATRO ETAPAS: RELACIONAMENTOS

Eleve seus pensamentos a Deus. Apenas relaxe, respire e confie nesse processo. Deixe a sua respiração suave e profunda. Sinta as escápulas se abrindo quando você inspira, e se soltando quando expira. Faça essa respiração consciente, profunda e mais longa, por algumas vezes. Perceba que o tempo da inspiração é o mesmo da expiração.

Mantenha os olhos fechados. Não queira nada, não pense em nada. Apenas se entregue a esse estado de paz e tranquilidade, que começa a surgir dentro de você.

Neste exato momento, comece a agradecer a vida que você tem. Agradeça por estar aqui e agora. Agradeça por poder respirar. Mesmo qualquer pessoa com muitos desafios, dores, anseios e necessidades tem muitas questões para agradecer.

É provável que você se lembre da alegria de ter um animal de estimação próximo, um cachorro, um gato, um passarinho. É provável que se lembre de uma pessoa que convive, trabalha ou more perto de você, aquela pessoa que sempre sorri e lhe cumprimenta. É provável que você se lembre das coisas boas que viveu hoje ou ontem, da sua roupa, do seu banho, do seu alimento. É provável que se lembre de quantas bênçãos já recebeu.

Agradeça por quem você é, por seus amigos e familiares, pela casa em que vive, pelas coisas materiais que tem.

Agradeça pelos seus pais, estejam eles onde estiverem. Agradeça pelo país, o Estado mora, a cidade onde você mora, o mundo em que você vive. Agradeça as pequenas coisas da vida, como o céu, o Sol a Lua, a chuva a natureza, a água. E vai sentindo que, no seu coração, uma chama de luz se acende, à medida que você vai agradecendo. E quanto mais você vai se lembrando de coisas, situações, acontecimentos para agradecer, mais essa chama de luz ilumina seu coração, expandindo toda a sua força de gratidão. E você sente essa força dentro de você.

Agora deseje, acredite, intencione que a força dessa gratidão por todas as bênçãos da sua vida seja direcionada a todas as pessoas, no plano físico ou espiritual, em qualquer nível e dimensão da existência humana. Que seja direcionada a todas as pessoas que, nesse momento, estão conectadas nessa mesma sintonia. Imagine, acredite, perceba pessoas de todos os níveis e lugares sintonizadas nessa mesma conexão, e você deseja que a luz da sua gratidão se conecte a todas essas energias, a todas essas pessoas, e sente, neste momento, que faz parte de um grande grupo de seres que estão engajados, que estão intencionados em concentrar essa energia, que fica agora maior, mais forte. Você pode sentir.

E agora deseje, intencione que a luz dessa grande rede de que você também faz parte seja direcionada aos quatro cantos do mundo, a todos os lugares, em todos os ambientes, que uma energia mais qualificada e mais amorosa é necessária.

Que essa luz seja oferecida a todos os governantes, a todos os líderes, a todos os políticos, a todos os líderes sociais, religiosos e de todas as áreas da vida. Que essa luz seja oferecida a todas as pessoas que lideram, que decidem.

Que essa luz seja oferecida a todas as áreas de guerra,

de conflitos, de refugiados. Que essa luz leve conforto a todas essas pessoas, e esperança a todos esses ambientes. Que essa luz encontre todas as penitenciárias, casas de detenção, presídios, masculinos e femininos. Que todas as pessoas que estão lá sejam envolvidas por uma luz de consciência e discernimento. Que essa luz seja oferecida a todos os hospitais, hospitais psiquiátricos, hospitais de câncer.

Que essa luz seja oferecida a todas as pessoas que trabalham nesses hospitais, a todas as pessoas que estão no leito desses hospitais, a todas as pessoas que cuidam. Que essa luz seja oferecida a todas as pessoas que ajudam outras pessoas – profissionais da saúde, terapeutas coaches, profissionais responsáveis e empenhados em melhorar a vida de outras pessoas.

Que essa luz seja oferecida a todas as ONGs, todas as instituições e organizações que ajudam outras pessoas. Que seja oferecida a todas as pessoas que vivem na marginalidade, mas querem sair disso. Que essa luz seja respeitosamente oferecida a todas as pessoas enveredadas em vícios, em doenças, em drogas, e querem sair disso.

Que essa luz seja respeitosamente oferecida a todas as pessoas e criaturas que desencarnaram no dia de hoje, que precisam de luz e discernimento para seguirem adiante. Que essa luz seja oferecida a todos os lugares onde aconteceram acidentes, naturais ou causadas pelo homem, em que muitas pessoas morreram e muitos abalos aconteceram. Que essa luz encontre esses lugares e leve amor, equilíbrio, bem-aventurança.

Que essa energia seja também oferecida aos nossos antepassados, aos nossos parentes que já se foram. Que essa energia seja oferecida ao nosso grupo espiritual, a todos os nossos parentes e amigos, aos nossos projetos pessoais. Que essa energia, essa bênção, seja oferecida aos nossos familiares, à nossa saúde, à nossa proteção espiritual. E que essa luz, amorosa e respeitosamente, atue em todos os elementos que convergem no equilíbrio dos relacionamentos.

Que essa luz seja o brilho maior da aceitação entre as partes. Que essa luz seja o brilho maior da tolerância entre as partes. Que essa luz deixe florescer, de dentro de cada célula física ou espiritual do seu ser, o entendimento de que somos seres em evolução, errando, acertando, recomeçando.

Que essa luz atue, amorosa e pacificamente, liberando todos os laços energéticos negativos projetados de você para outras pessoas, de forma consciente ou inconsciente. Que essa luz ajude a transmutar todos os laços negativos liberados de outras pessoas, situações ou consciências para a sua consciência.

Que essa luz ajude as feridas que foram abertas, provocadas por você, provocadas por terceiros, porque tudo manifesta estágios da consciência, estágios da evolução, sem mediocridade, mas com sensatez.

Que essa luz possa ajudar as partes para que continuem evoluindo, porque a crença no conflito é uma energia destoante da criação maior. Que essa luz atue em toda a sua base familiar. Que essa luz atue na matriz espiritual da sua base familiar. Que essa luz atue na matriz espiritual de todos os antepassados da sua base familiar. Que a luz dessa grande corrente atue no seu grupo espiritual. Que a luz dessa grande corrente instale no seu coração uma força amorosa de perdão, de aceitação, de tranquilidade, pelo caminho da sensatez.

Que nesse momento a força desta rede ajude com que você perdoe quem tem que ser perdoado. E que todo mundo que precisa te dar um perdão seja elevado a uma energia de sintonia maior. Se essa energia ainda não estiver pronta, se esse perdão ainda não estiver pronto, que essa conexão ajude a construí-lo pelo

caminho da elevação, da paz e do entendimento de que todos, sem exceção, estamos num processo de evolução, e isso significa erros. Que essa luz traga discernimento para entender nossos erros.

Que ela possa atuar em toda a nossa personalidade ressonante, em toda nossa personalidade congênita, ao longo dos tempos, em todos os níveis e dimensões dessa extensão. Que essa luz atue em todas as suas relações profissionais, aplicando uma forte frequência de amor, de paz, em todas as relações difíceis.

Em todas as pessoas com quem você tem conflitos, que essa luz possa ajustar, neste exato momento, o entendimento de que, quando pessoas brigam, quando brigamos, não fazemos querendo brigar. Fazemos querendo resolver um problema, mas fazemos da forma errada. Que a luz dessa grande rede nos ajude a enxergar a forma certa de lidar com cada relação no mundo profissional.

Que você enxergue com equilíbrio e paz cada relação, e a importância de cada relação no mundo profissional. E que a luz maior atue em todos os casos de relacionamentos difíceis, no seu trabalho e na sua vida profissional.

Você pode até pensar nas situações ou pessoas com que você conflita, e simplesmente permitir que a luz dessa grande rede atue em cada conflito, neste instante, sem julgamentos, apenas se permitindo, se deixando levar por essa incrível luz.

Que essa luz ajude com que você se relacione bem com as pessoas ao seu redor, sejam familiares, cônjuges. Que essa luz ajuste toda sua força pessoal e transmute todas as formas negativas de pensamento que possam estar envolvendo a sua aura, para que, neste exato momento, comecem a se aproximar de você pessoas mais elevadas, mais bem-intencionadas e mais focadas num propósito maior, assim como você está cada vez mais nessa sintonia de um propósito maior.

Que a luz dessa grande rede ajude com que você sinta no seu coração a verdade que diz que, quando os conflitos surgem, é porque há dor, há medo, há controle, e tudo isso é indicativo de que não há uma verdadeira conexão com a fonte maior.

Que neste exato momento, você se conecte com a fonte maior e sinta a força dessa rede que te abastece, te traz paz, tranquilidade e a segurança de um novo mundo, de novas relações, a segurança de que seus poderes pessoais estão cada vez mais ativos e elevados.

Que a luz dessa grande rede possa atuar em todas as forças conscientes e inconscientes que estão destoantes, harmoniosamente e respeitosamente, ajustando a sua vibração pessoal, em todas as relações, para que você possa conviver com um mundo de relações saudáveis, de pessoas alinhadas com o seu propósito.

E que, neste exato momento, essa força ajude a transmutar todas as densidades em bênçãos, densidades da sua aura, da sua alma, que atrapalham que você viva as melhores relações em todas as áreas da sua existência: relacionamentos amorosos, profissionais e familiares.

Que essa luz atue em toda a base familiar, profissional, amorosa da sua existência. Você vibra na sintonia da harmonia nas relações. Sinta a paz dessa harmonia. Você merece harmonia nas relações.

Repita: eu vivo harmonia nas relações. Eu vivo harmonia nas relações. Eu estou na sintonia da harmonia nas relações.

Agradeça, sinta essa paz. E, lentamente, aos poucos, venha retornando, abrindo seus olhos, despertando para o aqui e agora, e sentindo essa vibração incrível.

AGRADECER
NÃO É IGNORAR O QUE ESTÁ RUIM,

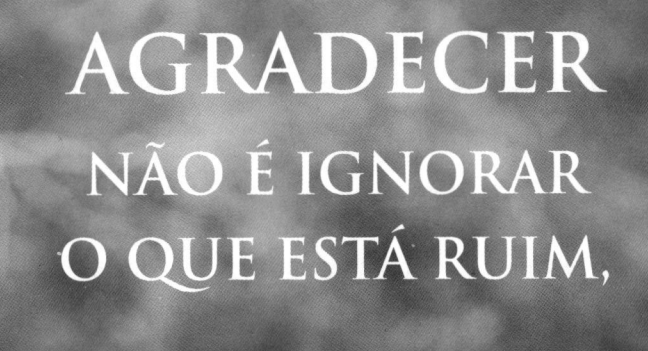

MAS ENALTECER O QUE ESTÁ BOM.

@brunojgimenes
#conexaodequatroetapas

TERCEIRA SEMANA: SAÚDE

Preste atenção: grande parte das doenças físicas do mundo tem origem nas emoções, pensamentos e sentimentos. Já vimos, no início deste livro, que nossas emoções, pensamentos e sentimentos manipulam energias que estão ao nosso redor, e que agem sobre todos.

Quando penso ou sinto, magnetizo essa força vital ao meu redor, transferindo-a para a minha aura. Uma vez que você começa a magnetizar a força do seu pensamento, com medo, tristeza, ansiedade, pessimismo, chateação, baixa autoestima, e outros sentimentos parecidos, ao seu redor também se forma um campo de energia doente.

Esse campo de energia abastece os seus chacras, que, por sua vez, suprem os meridianos de energia, chegando ao sistema nervoso central, periférico, aos vasos sanguíneos, ou seja, você começa a abastecer o seu corpo físico com vibração de doença. Mais tarde, suas glândulas endócrinas passam a ter sérios problemas de sintetizar mais ou menos substâncias, e é quando a doença física se instala.

Espero que você entenda, definitivamente, que saúde e doença são uma decisão. As pessoas doentes, seja do corpo ou da alma, tomaram decisões, mesmo que inconscientes, que afetaram profundamente as suas auras, ao ponto de manifestá-las no corpo físico.

As pessoas saudáveis decidiram por um estilo de vida, de pensamentos e emoções que afetou positivamente suas auras, concluindo essa manifestação num corpo físico mais saudável.

Seja qual for a decisão que tomou, você pode mudar.

Esse exercício é para que você construa, cada vez mais, sua blindagem e esse sentimento de elevação pessoal.

A conexão adaptada, a seguir, vai ajudar no tratamento da "causa raiz" dos males que provocamos ou atraímos para o nosso corpo. É interessante que, no primeiro dia, você responda por escrito às seguintes perguntas: Estou com dores? Estou com sentimentos ruins? Estou com a imunidade baixa?

Ao fim da semana de prática, responda novamente a essas perguntas, e compare.

O que você sentiu mudar?

Certifique-se de que não haverá interrupções, não importa o lugar em que esteja. Pode até ser um lugar barulhento, o importante, é você estar em paz, e em segurança.

CONEXÃO DE QUATRO ETAPAS: SAÚDE

Eleve seus pensamentos a Deus. Não queira nada, não pense em nada. Apenas relaxe, respire e confie nesse processo. Deixe a sua respiração suave e profunda. Sinta as escápulas se abrindo quando você inspira, e se soltando quando expira. Faça essa respiração consciente, profunda e mais longa, por algumas vezes, tendo o cuidado de perceber que o tempo de inspiração é o mesmo tempo de expiração. Se inspirar em três segundos, expire em três segundos.

Neste exato momento, comece a agradecer todas as bênçãos da sua vida. Coisas simples, mas que você valoriza. Talvez as suas amizades, seus pensamentos, a vida, os animais de estimação, o Sol, os elementos da natureza.

O banho que você toma diariamente, a roupa quentinha, a cama confortável, o chuveiro, coisas da casa. Talvez você agradeça a presença de pessoas que você gosta, o seu alimento. Neste exato momento, agradeça.

Agradeça o aqui e agora, agradeça porque, por mais que você tenha desafios, muitas vezes tensos, difíceis de serem vencidos, quando você olha para trás, percebe que já venceu tantos deles.

Agradeça a proteção invisível que você recebe e nem sabe de onde. Agradeça as portas que se fecham para que outras se abram. E sinta que, à medida que você começa a se concentrar nas pequenas coisas que agradece, uma força maior, um sentimento maior, começa a brotar do seu coração. Um sentimento de gratidão, de alegria, de plenitude.

Deixe que esse sentimento brote à medida que você tem mais coisas a agradecer, porque, mesmo a pessoa com tantos desafios e problemas, ainda assim, o universo de bênçãos que ela tem a agradecer é incontável.

Neste momento, sentindo que essa gratidão, essa paz, essa tranquilidade brotam do seu ser, coloque uma intenção. Apenas imagine, visualize, deseje pessoas, no plano físico e espiritual, em qualquer dimensão da nossa existência, que estão reunidas, neste momento, nessa mesma conexão que você. Então, projete toda essa energia dessa gratidão que você estabeleceu para toda essa rede de seres que estão conectados no princípio maior, num sentido maior, neste exato momento.

E agora, você percebe que, com a força da sua intenção de gratidão, você faz parte dessa grande rede, dessas pessoas, desses seres. E você sente essa energia ficar mais forte, mais intensa, mais verdadeira, ampla e poderosa. Você sente que o fluxo aumenta. Você se sente mais leve, mais conectado, com mais paz no coração, e mais confiança. Você faz parte dessa grande rede, dessa grande conexão de orações, de pessoas focadas no mesmo sentido.

E agora sim, a energia está mais abundante, mais poderosa, mais viva. E, então, deseje que a luz dessa conexão, a luz dessa grande rede formada por tantos seres, incluindo você, seja direcionada aos quatro cantos do mundo que precisam de energia. Que essa luz seja oferecida a todas as pessoas que estão doentes no mundo. Que essa luz seja oferecida a todas as pessoas do mundo que estão desequilibradas, mas que estão com o coração aberto para receber essa mudança.

Que essa luz seja oferecida a todas as áreas de guerra, de conflitos, de refugiados, a todas as creches, orfanatos, casas de acolhimento, ONGs que trabalham com as almas humanas. Que essa luz seja oferecida a todas as pessoas que se prostituem por necessidade. Que essa luz seja oferecida a todas as pessoas que estão em trabalho escravo por necessidade. Que essa luz seja oferecida a toas as pessoas que perderam a dignidade em seu trabalho, e em sua vida, se sentem presas e merecem sair disso.

Que essa luz seja oferecida a todas as pessoas que experimentam o inferno consciencial e querem sair disso. Que essa luz seja oferecida a todas as pessoas envolvidas por drogas, por vícios complicados, mas que querem sair disso.

Que essa luz seja oferecida a todas as pessoas marginalizadas pela sociedade, mas que querem sair disso. Que essa luz seja oferecida a todas as pessoas que podem ajudar a mudar essa realidade. Que essa luz seja oferecida a todos os governantes. Que essa luz seja oferecida a todos os políticos. Que seja oferecida a todos os líderes que decidem os próximos passos da humanidade.

Que essa luz seja oferecida a todos os servidores públicos, e a todas as pessoas que cuidam do sistema. Que essa luz seja oferecida a todas as pessoas que fazem plantão em todas as áreas, e todas as profissões do mundo, que trabalham enquanto descansamos. Que essa luz seja oferecida a todos os policiais, de todas as classes, aos bombeiros, enfermeiros, médicos, profissionais da saúde, terapeutas e todas as pessoas que cuidam do próximo.

Que essa luz seja oferecida a todos aqueles que desencarnaram no dia de hoje, e a todos aqueles que nasceram no dia de hoje. Que essa luz seja oferecida a todos aqueles que estão com o coração aberto para receber essa ajuda, em todos os presídios, penitenciárias e casas de detenção.

Que essa luz seja oferecida aos nossos antepassados, onde quer que estejam, aos nossos parentes já desencarnados, onde quer que estejam. Que essa luz seja oferecida aos nossos animais de estimação, aos nossos chefes e funcionários, aos nossos colegas, irmãos, pais e filhos.

Que essa luz seja oferecida aos nossos professores e alunos, aos nossos clientes e fornecedores. Que essa luz seja oferecida a todos aqueles que estão ao seu redor, a quem você quer desejar essa projeção.

E que essa luz seja oferecida ao seu campo de energia, à sua aura. Que ela seja capaz de transmutar todas as densidades em bênçãos. Que ela seja capaz de transmutar todos os pensamentos negativos que estão te adoecendo.

Que essa luz seja capaz de transmutar todas as emoções negativas que roubam a sua imunidade. Que essa luz seja capaz de transmutar todas as influências que você recebe. E que essa luz seja capaz de transmutar a sua vibração para repelir, naturalmente, todas as influências que você recebe.

Que essa luz atue em todas as partes do seu ser, em todos os filamentos, em todos os campos, em todas as células, em todo o sistema nervoso central e periférico, em todos os órgãos, músculos e tecidos. E que isso possa atuar tanto no campo físico quanto espiritual, transmutando as densidades em bênçãos, transmutando seus erros em acertos, esclarecendo, com toda força, a consciência dos seus atos, mostrando o que pode ser diferente e melhor, e trazendo para você a responsabilidade de ser o criador da sua própria realidade.

Que essa luz possa clarear toda a sua consciência. Que essa luz possa iluminar o caminho da sua lição de vida, para que você saiba quem você é, o que você quer, aonde quer chegar e o que precisa fazer. Que essa luz ilumine o seu discernimento. Que essa luz abençoe a sua vida. E que essa luz blinde a sua caminhada na Terra, com amor, discernimento, paz e sabedoria.

Sinta a leveza interior. Sinta uma clareza mental. Sinta essa paz de espírito, e agradeça.

QUARTA SEMANA: CAMPO ESPIRITUAL

A nossa vida espiritual é a nossa causa, e é sustentada aqui na Terra pelos campos físico, mental e emocional. O campo espiritual é a parte mais importante que você construiu, que tem a capacidade de transformar completamente a sua vida: deixá-la mais clara, com a mente mais leve, e a uma energia muito mais adaptada, a fim de que você possa criar caminhos inovadores para a sua vida, lidar com situações difíceis e ser muito feliz.

Quando falo de tratar o campo espiritual da nossa vida, estou me referindo a alicerçar as bases que tratam o nosso posicionamento de vida, a nossa existência, a causa de tudo. Estou falando de relembrar a missão de vida, viver por um propósito. E, acredite: este é o principal ponto de tudo que falamos até agora.

A próxima conexão foi preparada para fazer uma grande transformação na sua capacidade espiritual, na sua capacidade de mudar realidades e, acima de tudo, na sua capacidade de viver por um propósito maior, que é, sem dúvida, o ingrediente essencial para você ter uma vida incrível.

CONEXÃO DE QUATRO ETAPAS: CAMPO ESPIRITUAL

Eleve seus pensamentos a Deus. Deixe a sua respiração suave, profunda, tranquila, pacífica. Não queira nada, não pense em nada. Apenas, relaxe.

Respire profunda e suavemente, mantendo a atenção em fazer com que sua inspiração tenha o mesmo tempo da sua expiração. Se você inspira em três segundos, cuide para expirar nos mesmos três segundos.

Nesse estado de paz, de tranquilidade, que já começa a tomar conta de você, mantendo os olhos fechados, a alma tranquila, e uma intenção bem focada em relaxar, em sentir essa paz, agradeça a oportunidade de estar aqui e agora.

Agradeça o dom da vida, e as coisas pequenas da sua vida, como, por exemplo, a casa em que você mora, a cama em que dorme, quentinha nos dias de inverno, ou o lugar arejado nos dias de verão. A oportunidade do banho, a alimentação, coisas tão pequenas. Agradeça, também, o sorriso daquela criança, o afago do animal de estimação, e a presença dos amigos do peito.

Vá nutrindo em você o sentimento de gratidão, porque, mesmo qualquer pessoa cheia de desafios, de doenças, de dores, de complicações na vida, ainda assim, tem tantas coisas para agradecer.

Agradeça por tudo que você já recebeu nesta vida. Agradeça as bênçãos que você recebe diariamente.

Sinta que, à medida que se eleva nessa gratidão, esse sentimento de paz e tranquilidade vai tomando conta de você. Sinta esse sentimento de gratidão crescendo. Sinta esse sentimento de leveza que flui quando você se lembra de tantas bênçãos que tem na vida.

Agora, projete uma intenção de que a força convocada nessa sua gratidão seja direcionada também a todas as pessoas que, neste momento, no plano físico ou espiritual, em qualquer nível ou dimensão da existência, estão sintonizadas com o mesmo propósito, com o mesmo objetivo.

É provável até que você visualize, enxergue, ou apenas imagine ou acredite, que muitas pessoas se unem neste momento. Talvez os seres de luz em que você acredita e confia, talvez pessoas comuns como você, que estão nos mais diversos cantos do mundo, no plano físico ou espiritual, conectados a você, neste momento.

E você intenciona toda essa sua força de gratidão para essa grande rede de pessoas, e vai sentindo que esse fluxo fica maior, mais poderoso, mais curativo, e totalmente ilimitado, intenso e verdadeiro. E, agora sim, você participa de uma grande rede de conexão de luz, uma grande força, incrivelmente poderosa e ilimitada.

E quando você sente essa força, sente essa vibração ficar mais expandida, coloque a intenção de dedicar a força dessa conexão aos quatro cantos do mundo, do universo, que precisam dessa energia agora.

Que essa luz seja dedicada e direcionada a todas as áreas de guerra, de conflitos, de refugiados. Que essa luz seja oferecida a todas as pessoas em sofrimento. Que essa luz seja oferecida a todos os líderes do mundo, políticos, sociais, espirituais, às pessoas que tomam decisões que afetam grandes massas.

Que essa luz encontre todas as nações em guerra e em conflitos. Que essa luz encontre todos os ambientes que estão em caos e precisam se ajustar. Que essa luz encontre todos os hospitais – hospitais psiquiátricos, hospitais de câncer, hospitais de câncer infantil, os hospitais dos mais diversos tipos e especialidades.

Que essa luz possa encontrar todas essas pessoas que estão recebendo tratamento, muitas delas, num leito de hospital, esperando a morte, muitas delas sem esperança. E que essa luz encontre, também, todos os profissionais que atuam nessas áreas, todos os cuidadores e servidores, sejam médicos, enfermeiros, terapeutas, voluntários ou não, todas as pessoas que dedicam a energia a cuidar de outras pessoas. E não só aos hospitais, mas às ONGs, casas de caridade, orfanatos, casas de acolhimento.

Que todas as instituições que cuidam de outras pessoas recebam essa luz, a luz dessa grande rede. Que essa luz seja oferecida e distribuída a todos aqueles que desencarnaram no dia de hoje, e a seus familiares, para que possam ser conformados, equilibrados, iluminados.

Que essa luz encontre todas as pessoas que nasceram no dia de hoje, que venham na luz para realizar suas missões. E que também ilumine todos os parentes dessas pessoas.

Que essa luz seja oferecida a todas as pessoas marginalizadas, esquecidas, abandonadas, algumas que desistiram de si próprias, mas que têm no coração uma intenção, mesmo que suave, de fazer uma mudança. Que essa luz seja oferecida a todas as pessoas envolvidas nos mais diversos tipos de vícios que destroem suas vidas.

Que essa luz seja oferecida a todas as causas e situações do mundo a que você gostaria de oferecer. Questões coletivas, questões que afetam a realidade planetária. E que essa luz seja oferecida ao seu grupo espiritual. Aos seres de luz que estão empenhados em ajudar você a ter a melhor missão de vida, a melhor encarnação possível.

Imagine, visualize, acredite que todos os seres que coordenam, orientam e protegem a sua missão, e a sua jornada nessa existência, recebem agora um fluxo balsâmico de energias curativas, transmutadoras, potencializadoras, que flui dessa grande corrente. Sinta a presença do seu anjo de luz, ou mestre espiritual, e como as forças espirituais que lhe envolvem são potencializadas.

Observe que, ao seu redor, as luzes ficam mais intensas, e você percebe, sente, acredita, imagina outros seres que, neste momento, se aproximam de você, todos interessados no seu bem maior. Eles se fortalecem a partir do momento em que você se lembra da sua conexão, se lembra de quem você é.

Eles se fortalecem a partir do momento em que você estabelece essa simples sintonia, e intenção, de melhorar o campo espiritual de todos aqueles que te assistem no plano extrafísico.

Mantenha a sua intenção em desejar que essa luz atue por todo o plano da existência maior, acionando todas as passagens que você já teve pela Terra, oferecendo luz, bênçãos, cura e bem-aventurança a todas as suas existências anteriores, a todo o DNA da sua família terrena.

Imagine, acredite, sinta, perceba que, neste exato momento, essa luz flui pelo seu pai. Suavemente, ela encontra os pais do seu pai, e vai fluindo pelos pais do seu avô, pelos pais da sua avó, e assim, sucessivamente, pelos seus antepassados.

A mesma coisa acontece com a sua mãe. Sinta essa luz fluindo pela sua mãe, pelos pais da sua mãe, pelos avós da sua mãe, e assim, sucessivamente, por todas as gerações da família da sua mãe.

Neste exato momento, perceba que você é o tronco de uma árvore, e que seus pais, os pais dos seus pais, os pais dos pais dos seus pais, e assim, sucessivamente, recebem essa energia, e são alimentados por uma luz de cura, de bênção, de paz, de bem-aventurança.

Procure acreditar, imaginar, ou visualizar, que você é uma grande árvore, e que todos os seus antepassados são essas raízes que se aprofundam na terra.

E, neste exato momento, você sente que cada filamento dessas raízes que penetram a terra vai recebendo a luz dessa grande conexão que você estabelece, com a intenção de que essa luz leve paz, alegria, bem-aventurança.

E você vai sentindo o campo espiritual da sua vida ficar mais iluminado. Todas as suas bases e referências ficam mais iluminadas. Neste exato momento, faça um pedido sincero de desculpas por coisas que você não lembra que fez, mas não são desculpas tolas, são desculpas de alguém que sabe que pode fazer melhor amanhã.

Agradeça, e peça desculpas sinceras, e diga coisas do tipo: eu peço desculpas por todos os erros que cometi, e eu só peço desculpas, porque estou querendo fazer melhor. Eu peço desculpas por todos os erros que cometi, e só peço desculpas, porque estou numa posição de fazer melhor.

Eu sei que ainda vou errar muito, mas eu peço desculpas sinceras, na tentativa sempre de acertar. Eu peço desculpas por todos os erros que já cometi, em qualquer tempo, espaço, e dimensão da minha existência, e me coloco numa posição de querer melhorar. E sinta toda a luz dessa conexão brilhando sobre isso.

E, por último, fale várias vezes: eu peço permissão para acessar o meu campo de luz pessoal. Eu peço permissão para acessar minha verdadeira energia espiritual. Eu peço permissão para acessar, equilibrada e respeitosamente, os meus potenciais espirituais. Eu peço permissão para convocar os meus potenciais espirituais para fazer a minha vida melhor, para melhorar como um ser integral, para ajudar o mundo a melhorar, para ser mais feliz.

Eu peço permissão para acessar todo esse poder pessoal de forma equilibrada, harmoniosa e feliz. Eu agradeço por acessar o meu verdadeiro campo de luz espiritual. Eu também me perdoo pelos meus erros, e faço isso na confiança de que estou fazendo meu caminho, de que busco meu caminho de luz, na confiança de que desperto o meu verdadeiro caminho de luz. Eu peço permissão para viver o meu caminho de luz.

Repita com tranquilidade: eu peço permissão para viver o meu caminho de luz, despertando todos os potenciais que mereço, com equilíbrio e harmonia. Eu peço permissão para viver o meu caminho de luz, despertando todos os meus potenciais, com equilíbrio e harmonia. Repita outras vezes.

E agora, sinta essa paz. Sinta essa tranquilidade. Agradeça, e depois desperte suavemente, abrindo seus olhos, quando você achar que é o seu momento.

E SE EU NÃO QUISER FAZER O DESAFIO DE 4 SEMANAS?

Durante toda a pesquisa com a Conexão de Quatro Etapas, nada gerou resultados tão surpreendentes e impactantes do que o Desafio de 4 semanas para as quatro áreas, sendo uma por semana.

Esse é um alerta, se você quiser resultados impressionantes e impactantes. Contudo, a Conexão de Quatro Etapas é uma forma de oração que você pode fazer como desejar, desde que respeite suas 4 etapas, intercalando as formas adaptadas.

Exemplo: hoje, você faz para prosperidade; amanhã, você faz para relacionamentos; depois de amanhã repete para prosperidade. Ou seja, pode introduzir conforme seu desejo, sua vontade, e até sua intuição.

Você ainda pode praticar sua oração preferida antes ou depois da Conexão de Quatro Etapas.

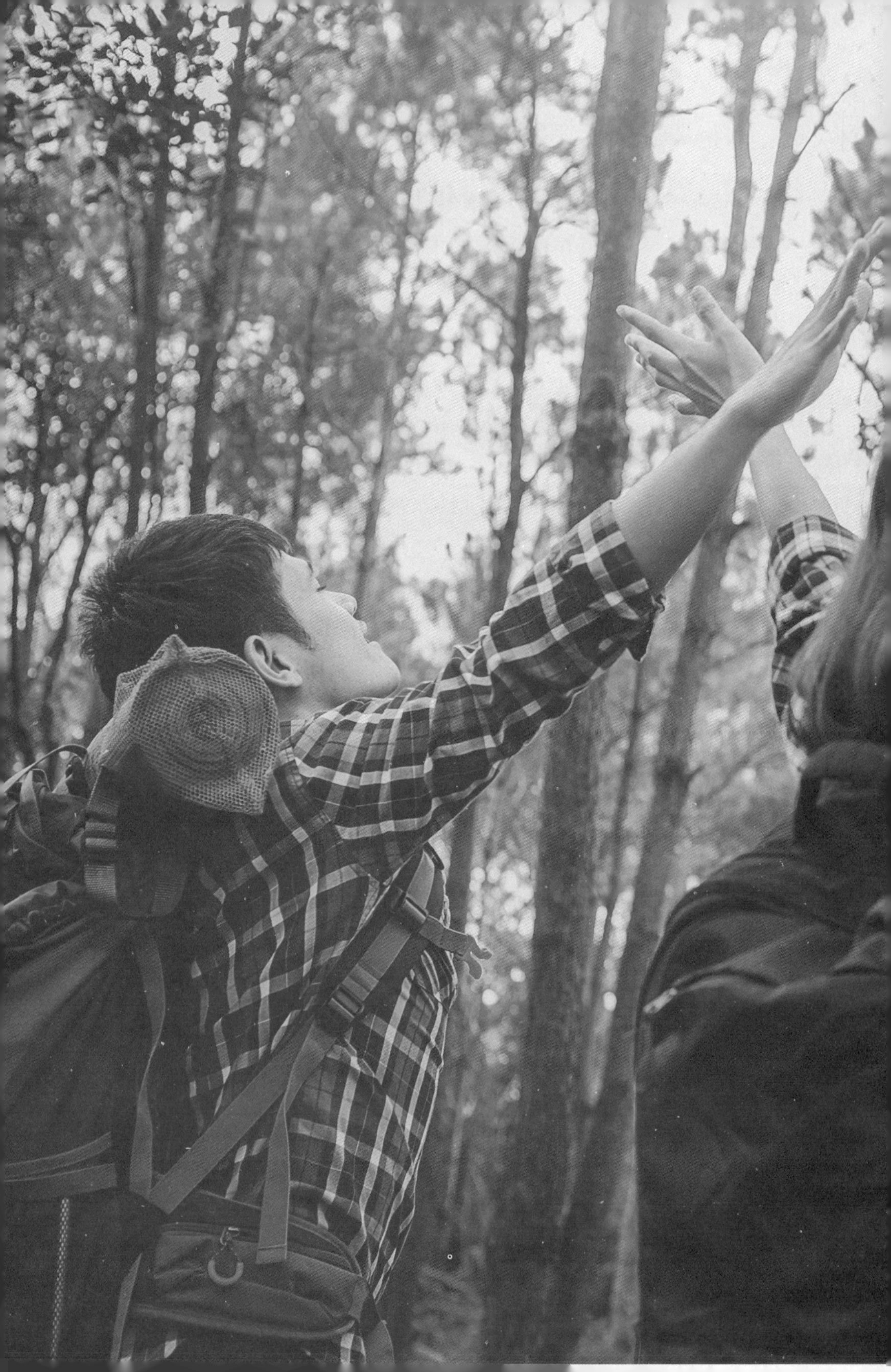

O SEGREDO ESCONDIDO
DE TODA ORAÇÃO

Venho estudando o poder da oração e da conexão com forças superiores faz muito tempo. Algo que compreendi é que existem dois dentre os principais segredos, para que a sua conexão funcione de forma impressionante e, consequentemente, transforme a sua vida e a das pessoas que você queira ajudar.

Esse segredo é que existem dois momentos-chave em qualquer conexão.

A PRIMEIRA CHAVE

Sempre comece a prece em gratidão. Jamais inicie a conexão com lamentação, dor ou súplica. Eu sei que isso quebra o padrão de uma tradição milenar de rezar quando o desespero surge, porém, acredite: a conexão, assim como já citado anteriormente, é uma manipulação de forças naturais sutis. Sendo assim, você precisa respeitar leis naturais, para que ela aconteça com o melhor resultado.

Começar toda prece agradecendo, ao invés de pedir, vai mudar tudo para você.

A SEGUNDA CHAVE

Se você faz a sua oração corretamente, os segundos finais da prece são os que você se conectou com seu melhor nível de energia. No entanto, o que é normal acontecer – especialmente nos dias de hoje – é a pessoa abrir os olhos e sair correndo para continuar a sua rotina.

Quer saber algo?

É nesse instante final da conexão que mora o seu ouro. Para aproveitar essa fase da melhor forma possível, existe uma dica simples e absurdamente impactante. Ao terminar sua conexão, simplesmente mantenha os olhos fechados, e o estado de silêncio, por quanto tempo você conseguir.

Pode ser um simples minuto, ou mais dez minutos. É nesse período, de pós conexão, que as maiores inspirações para a minha vida aconteceram. Desde ideias milionárias, do ponto de vista da prosperidade, até mesmo recados do plano superior, sobre coisas mínimas

O QUE FAZER PARA ENTRAR EM CONTATO COM O **AMOR**?

EXISTEM TRÊS FORMAS SIMPLES:

AGRADECER, INSPIRAR E ADMIRAR

@brunojgimenes
#conexaodequatroetapas

da minha existência, como, por exemplo, a importância de tomar sol e pisar no chão de terra.

E quanto mais você praticar, mais esse momento será especial para você. Eu não tenho como transformar em palavras a plenitude que sentimos quando bem executamos essa chave poderosa.

Ao encerrar uma oração, procure não abrir os olhos rapidamente, para não desperdiçar o seu melhor. Aproveite o estado conquistado!

Vale lembrar, que temos uma família *on-line* chamada Iniciados. É uma plataforma de desenvolvimento pessoal, em que você estuda e se conecta com outras pessoas do grupo. Mensalmente são liberados novos cursos e ferramentas de desenvolvimento pessoal, além de muitas técnicas, para melhorar sua vida, trazendo mais energia, prosperidade e felicidade.

E algo que cada vez mais anima os membros (neste momento, em que escrevo este livro, somos 5.713 pessoas) é o Dia da Conexão. Todas as segundas-feiras nos reunimos na nossa sala de aula virtual e fazemos a Conexão de Quatro Etapas, ao Vivo.

Os membros da Família Iniciados podem se conectar virtualmente e, com isso, começar a semana de forma maravilhosa.

Você também pode fazer parte do Iniciados se tiver interesse em melhorar sua vida, sua espiritualidade, sua prosperidade, seus relacionamentos, e encontrar a sua missão de vida.

Você encontra mais em: **www.iniciados.com.br**.

Agora que você já entendeu essas duas simples chaves, porém ignoradas por muitos, conseguirá ter resultados impressionantes.

Então, lhe pergunto: **imagine como seria fazer a Conexão de Quatro Etapas com a sua família?**

Talvez você possa começar fazendo uma vez por semana e, com o tempo, ir aumentando a frequência.

Imagine fazer a Conexão de Quatro Etapas *on-line* por meio de uma *live* na sua rede social favorita. Você começou uma transmissão ao vivo e convida seus seguidores para fazer junto com você. Tem noção do que esse movimento pode fazer?

Aprendi, ao longo dessa minha jornada com a Conexão de Quatro Etapas, que se 9 mil pessoas se unirem para fazer a conexão simultaneamente, produziremos energia de cura para limpar o campo energético de um território do tamanho do Brasil.

Em 2015, nós conseguimos fazer uma Conexão de Quatro Etapas ao vivo, pelo YouTube, e reunimos 12.714 pessoas simultaneamente.

E o meu sonho, de um dia fazer a Conexão de Quatro Etapas para 90 mil pessoas, continua. Segundo meus estudos, ao fazermos a conexão com essa quantidade de gente, podemos produzir energia de cura do campo energético de todo o globo terrestre. Já imaginou?

Quando eu percebi que essa meta seria ousada, e ainda estamos trabalhando para chegar nela, tive um *insight*: "E se eu escrevesse um livro falando da Conexão de Quatro Etapas?"

Naquele momento, percebi que este livro seria uma das estratégias para isso acontecer!

Sei que, se todos nós nos unirmos, em algum momento, mesmo que não saibamos, estaremos entre muito mais de 90 mil pessoas fazendo a Conexão de Quatro Etapas, ao mesmo tempo.

VAMOS JUNTOS?

VOCÊ ME AJUDA A LEVAR A CONEXÃO DE QUATRO ETAPAS PARA O MÁXIMO DE PESSOAS POSSÍVEL?

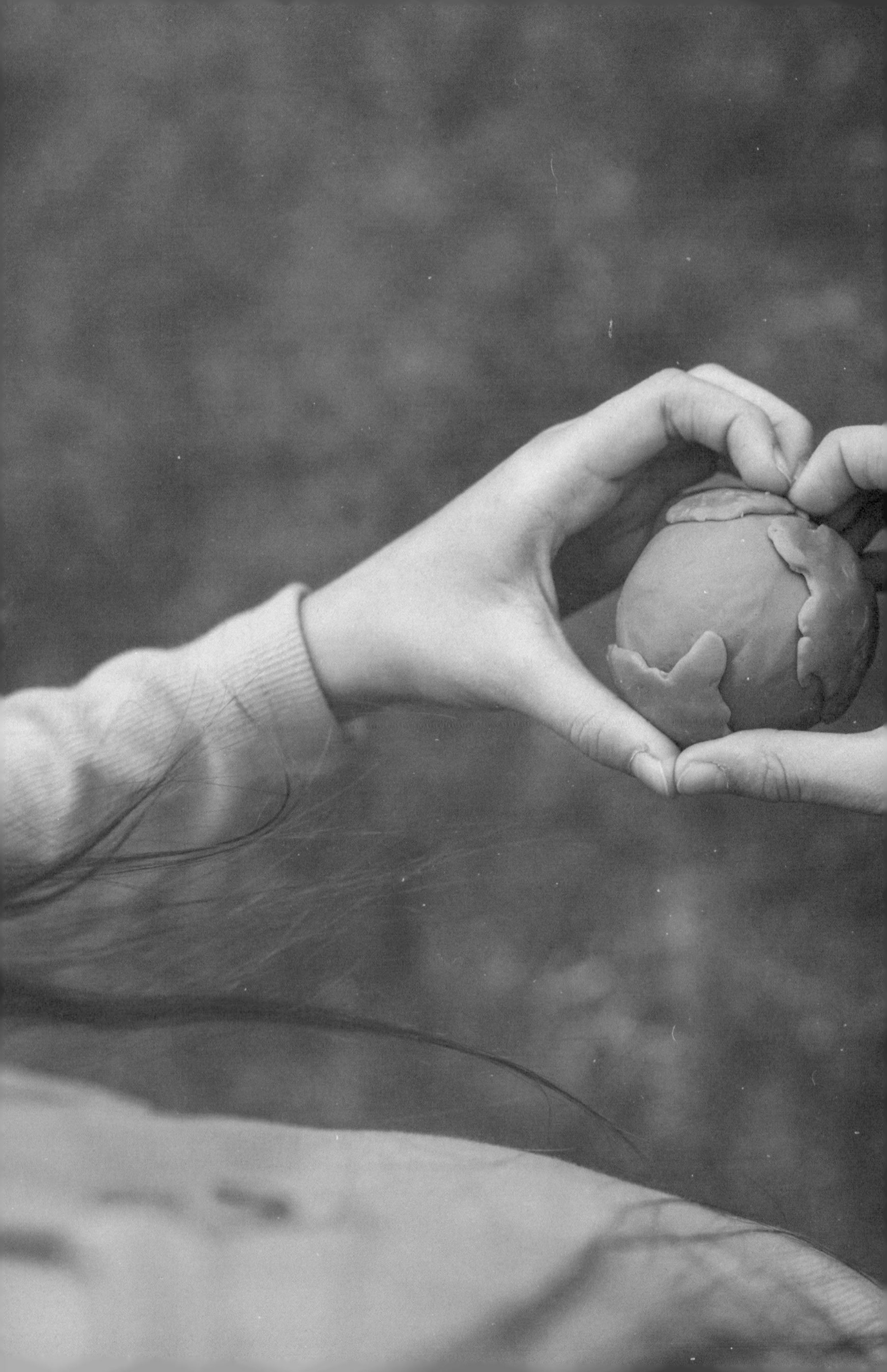

PERGUNTAS E RESPOSTAS

1. O que é conexão?

Conexão é uma forma de se referir à oração, porque é ela que nos permite manipular as forças sutis e balsâmicas, para curar tudo o que precisa ser curado na nossa vida.

2. Há alguma contraindicação?

Não há contraindicação, a Conexão de Quatro Etapas serve para absolutamente tudo na sua vida.

3. O que fazer se eu sempre durmo no meio da prática?

É muito comum isso acontecer. Por isso, indicamos que você faça a oração sentado.

4. As crianças também podem fazer?

Você pode convidar toda a sua família para participar da Conexão, inclusive as crianças. A energia se potencializará ainda mais, e todos serão beneficiados pela força dessa oração.

5. A Conexão de Quatro Etapas pode ser usada para limpar a energia do meu lar?

Sim, a Conexão de Quatro Etapas também pode ajudar na limpeza energética dos nossos ambientes. Nesse caso, ao final da quarta etapa, depois de agradecer, se conectar e direcionar a energia, imagine que a luz da conexão passa pela sua casa e transmuta tudo o que há de ruim. Sinta como é bom estar em um lar abençoado pela luz curativa da Força Maior.

6. O que faço agora, pois tenho costume de rezar um Pai Nosso e uma Ave-Maria diariamente? O que eu que preciso mudar?

Não precisa mudar nada na sua rotina, apenas acrescente a oração mais poderosa de todos os tempos às suas práticas diárias. Tudo o que precisa é seguir os quatro passos da Conexão de Quatro Etapas. Depois, continue o que já costuma fazer, seja rezar um Pai-nosso e uma Ave-Maria, cantar pontos ou entoar mantras.

7. Posso fazer a Conexão de Quatro Etapas para quem já morreu?

Sim, é possível direcionar a luz dessa oração aos que já desencarnaram. Imagine que eles encontram o caminho da luz.

8. Posso fazer para os meus inimigos?

Com certeza, você pode fazer para alguém que está perturbando a sua vida ou com quem tenha algum conflito. Porém, fique atento! Aqui, a intenção não é

mudar essa pessoa. Você simplesmente vai pedir que
luz a encontre. Siga as três etapas: agradeça, conecte-s
direcione a energia para as principais causas do mun
Na quarta etapa, visualize que essa pessoa é envo
por uma luz.

**9. Ao fazer a Conexão de Quatro Etap
uma pessoa, estarei interferindo no livre-arbí**

Talvez você deseje ajudar alguém que
ajuda. Porém, com a Conexão de Quatro E
pode auxiliar sem interferir no livre-arbítri
alcançando resultados incríveis. Para isso,
luz para ela. Faça as três primeiras etapas
Na quarta etapa, imagine que uma linda
pessoa a quem quer ajudar.

**10. A Conexão de Quatro Etap
alguma religião?**

Não, ela não pertence a nenhuma
pode fazê-la independentemente de sua
Inclusive, caso não siga nenhuma religiã

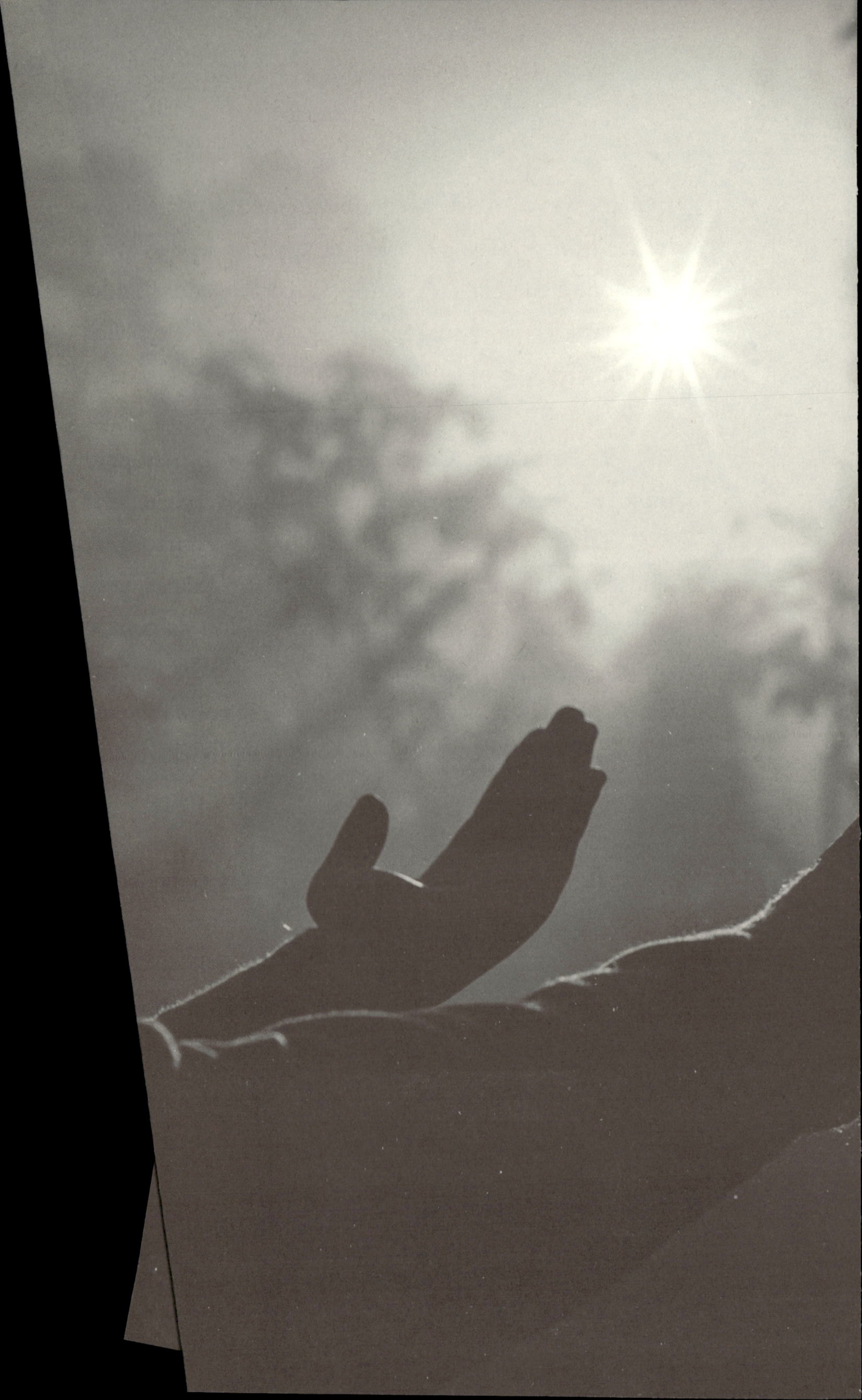

**COMECE A PRATICAR
E VIVENCIE PROFUNDAS
TRANSFORMAÇÕES**

Agora você já conhece a fundo a oração mais poderosa do mundo, uma ferramenta com resultados e transformações comprovados.

A partir de agora, você pode usá-la para todos os objetivos a que se direciona.

A conexão dura em média 8 minutos, mas é importante que você sempre a faça sentado, porque você vai entrar em um estado tão profundo de relaxamento que, caso se deite, pode acabar adormecendo e não chegando à etapa final, de fazer os seus pedidos.

Como você viu, é bastante simples, mas não deixe que essa simplicidade o engane. Essa é realmente uma ferramenta muito poderosa, que pode ser usada para as mais diversas situações.

Se você está lidando com uma pessoa muito má na sua vida, ou se alguém do seu trabalho o perturba, se há algum problema de afinidade, na quarta etapa, imagine essa pessoa envolvida por uma luz. Peça mesmo que essa luz encontre essa pessoa, e é só isso. Não deseje mudar ninguém. Apenas peça que a luz a encontre.

Também há momentos em que desejamos auxiliar amigos e familiares que não querem ajuda, e então nos vemos de mãos atadas. Com a Conexão de Quatro Etapas, você pode emanar luz para elas e ter resultados incríveis.

Outra coisa que pode ser transmutada é a energia dos nossos ambientes, do nosso lar, que, às vezes, fica pesada. Nesses casos, ao final da quarta etapa, depois de pedir tudo o que você quiser, imagine que a luz da conexão passa pela sua casa e transmuta o que há de ruim. A mesma coisa você pode fazer pelo seu trabalho, pela sua missão de vida, pelo seu propósito, pela sua família, pelos seus animais de estimação.

Na quarta etapa, é como se você empunhasse um canhão de luz, e o apontasse para tudo o que você falar ou mentalizar, atingindo tudo com a luz curativa da Fonte Maior.

O poder da Conexão de Quatro Etapas está em você entrar em contato com todas as vibrações do Universo. Ela serve para absolutamente tudo na sua vida, e não tem contraindicação. Mesmo que você siga uma religião, pode fazer essa conexão antes e depois das suas práticas religiosas, sejam elas quais forem. Não importa se você vai rezar um Pai-nosso, uma Ave-Maria, cantar pontos ou entoar mantras. Tudo o que precisa é seguir esses quatro passos.

Depois que você começar a praticar, tenho certeza de que vai vivenciar transformações tão profundas que não terá como não concordar que esta é a oração mais poderosa de todos os tempos.

Há alguns anos, eu captei essa informação, e prometi a mim mesmo que iria espalhá-la o máximo que pudesse. E é o que tenho feito desde 2007, com a ajuda da Patrícia Cândido, minha amiga e sócia no Luz da Serra, dos nossos colaboradores, nossos alunos e clientes e todas as pessoas que nos acompanham, seja pela internet ou pelos nossos livros.

Nós nunca paramos de espalhar essa oração, e estou muito feliz que agora ela tenha chegado até você.

Espero que você permita que ela transforme a sua vida, que seja feliz com ela, e que se junte a nós nessa incrível corrente, para espalhar esta mensagem.

Sempre que você tiver algum resultado com a Conexão de Quatro Etapas, poste suas conquistas nas redes sociais com a **#conexaodequatroetapas**. Estamos unindo o máximo de histórias de sucesso, de superação e conquistas com esta prática, e você pode nos ajudar a levá-la para mais pessoas.

Por isso, peço-lhe: junte-se a nós nesta jornada para levar a Conexão de Quatro Etapas ao mundo.

Indique este livro aos seus amigos,
e escreva as suas conquistas nesta página:
www.luzdaserra.com.br/livro-conexao-4-etapas

Ajude-nos a fazer a diferença
em mais pessoas no mundo.

Somos um só!
Seja o que nasceu para ser e brilhe forte!
Com todo o meu carinho e gratidão,

Muita luz,

Bruno Gimenes

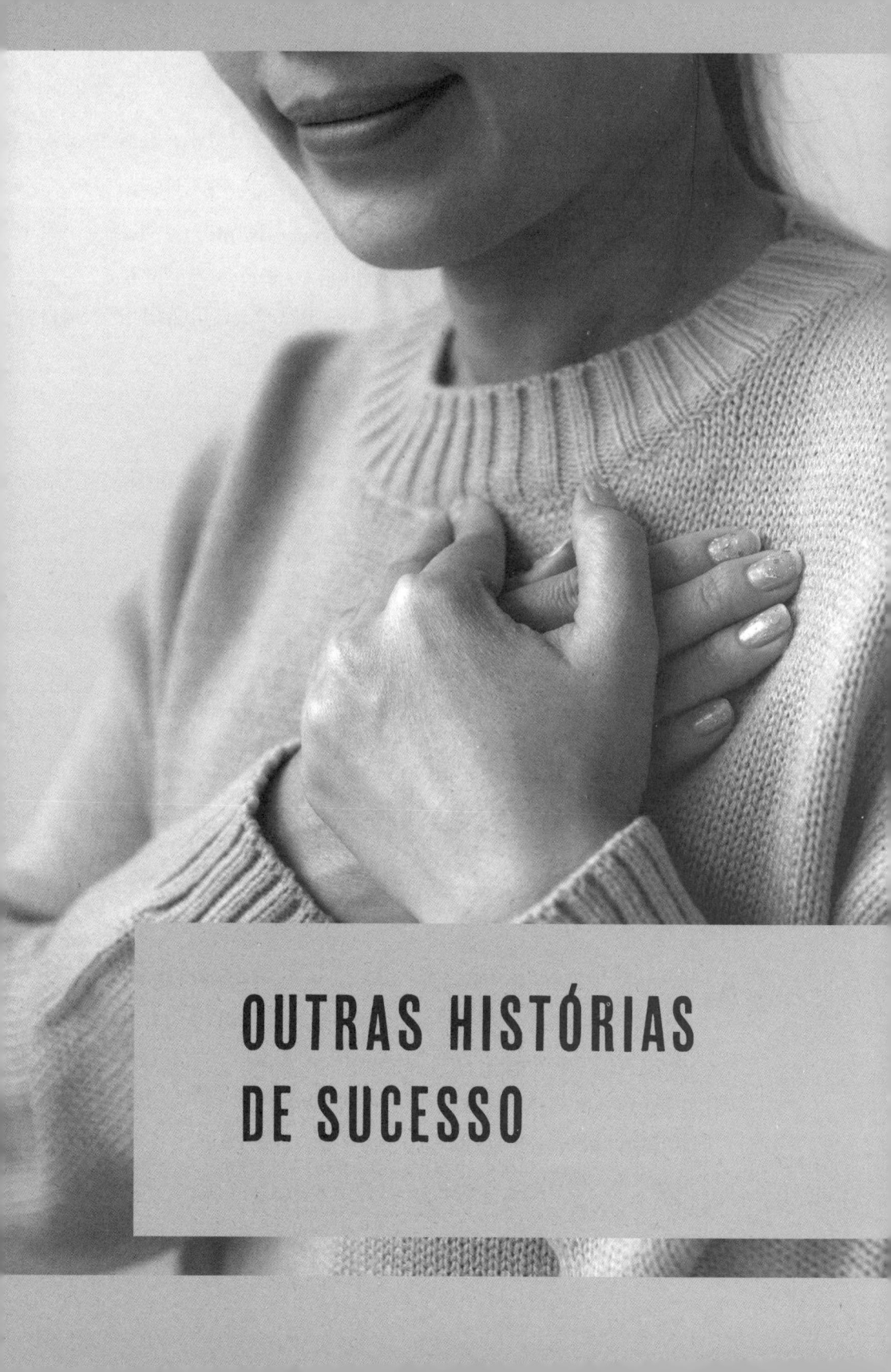

OUTRAS HISTÓRIAS DE SUCESSO

> **Bruno, querido! Desde que conheci a Oração Conectada de Quatro Etapas, não sei rezar de outra forma. Incrível! Fazemos todos os dias pela manhã, eu e meu marido, e sempre te incluo nela. Gratidão eterna! (Queli C. M.)**

> Comecei a fazer a oração há um mês, e realmente muita coisa mudou. Quando a iniciei, me senti muito bem, porém estava desempregado, porém, já no dia seguinte, consegui um trabalho. Agora, para todas as coisas, eu digo: "Brilha, Prosperidade". Obrigado, Bruno! (Kadu F. L.)

> **A Oração de 4 Etapas foi um divisor de águas na minha vida. Considero-me outra pessoa hoje em dia. (Dani E.)**

> Estou com um caso na justiça sendo solucionado depois de começar a Oração de Quatro Etapas. Só tenho a agradecer! Fazemos todos os dias antes de dormir, eu e minha família. É mágico! (Lisandra M.)

> **Muito obrigada por compartilhar essa informação, Bruno! Assim que senti a gratidão no meu coração, parece que um interruptor acendeu uma luz sobre a minha cabeça, e veio uma calma inexplicável! Não senti nem vontade de pedir muitas coisas. (Mari M. H.)**

" Bruno, amado irmão! A minha irmã conseguiu um emprego maravilhoso para a minha sobrinha com esta oração. Gratidão, paz e luz divina! (Solange S.)

" **Bruno, essa oração é maravilhosa! Obrigada por tudo, você é luz na vida de milhares de pessoas. Gratidão! (Tamie S.)**

" Olá, Bruno! Há mais ou menos um mês comecei a fazer a Oração de Quatro Etapas duas vezes ao dia, e senti que deveria incluir a minha avó nela (mesmo a nossa relação sendo cheia de conflitos e de mal nos falarmos). Ontem à noite, ela me ligou para saber a meu respeito e da minha filha. Quando desliguei o telefone, me senti mais leve; senti que, realmente, consegui perdoá-la. Lembrei-me da oração na hora. Gratidão! (Daniela G.)

" **Sou a testemunha de que ela funciona. Quando conheci esta oração e seus fundamentos, estava com a vida toda confusa, turbulenta, sem direção e sem entender o que me levou a tomar uma atitude que me trouxe uma consequência inesperada para mim, me deixando destruído. Enfim, vieram todas as respostas, mudanças em todos os sentidos da minha vida. Ela limpa, energiza e protege. Faça, mas com total relevância para este fundamento. Não é brincadeira, funciona de verdade! (Lucas C.)**

> Oi, Bruno! Estou fazendo a Oração de Quatro Etapas. É muito forte! Comecei há três dias, e incluí o exercício da frase: "Dinheiro que é meu, venha parara mim", e já recebi R$ 1.455,00 do PIS, que eu nem sabia que tinha. Estou muito feliz! Gratidão! (Magna A.)

> Comecei fazer a Oração de Quatro Etapas faz uma semana, e ela já está abrindo várias portas para mim. Por exemplo, um processo que estava na justiça já há dois anos. Ontem, quando estava fazendo a oração, o telefone tocou: era a minha advogada, falando que havia saído o resultado e foi favorável a mim. (Ana Paula C.)

> Incrível! Fiz essa oração ontem, dia 31/01/19 e, hoje, dia 01/02/19, recebi uma cesta cheia de frutas e verduras de uma pessoa com quem estava "brigada" por coisas bobas, porém, a amo muito. Ela me presenteou com tudo isso, que brilhe a prosperidade. Eu estava sem nenhuma fruta e legumes em casa, estou muito feliz. Vou fazer sempre essa oração. Sinto-me agradecida! (Lu L.)

> Bruno, essa oração é divina! Estou praticando há uma semana e, no momento, estava muito preocupada em como eu iria pagar quase R$ 4.000,00 até o dia 07/06/19, pois devia uma conta em uma loja grande, que estava vencida fazia quatro meses. Com esta oração, me conectei com as contas pagas e, hoje, 01/06, para a minha surpresa, meu pai pagou as contas

para mim, como um presente. Paguei as demais contas que eu tinha, e ainda me sobrou um valor que, até agora, não acredito, além disso, tem várias outras coisas acontecendo comigo. Penso em algo, e isso está se concretizando; penso em algo, e vejo isso na minha frente. Estou tão focada nas coisas boas da vida, que os milagres estão acontecendo para mim, me sinto pronta para receber muitas bênçãos. Também passei a agradecer tudo que eu tenho: água, alimentação, casa, trabalho, família, carro, e a mágica está acontecendo. Muito obrigada por compartilhar essa energia maravilhosa. Gratidão! (Mary P.)

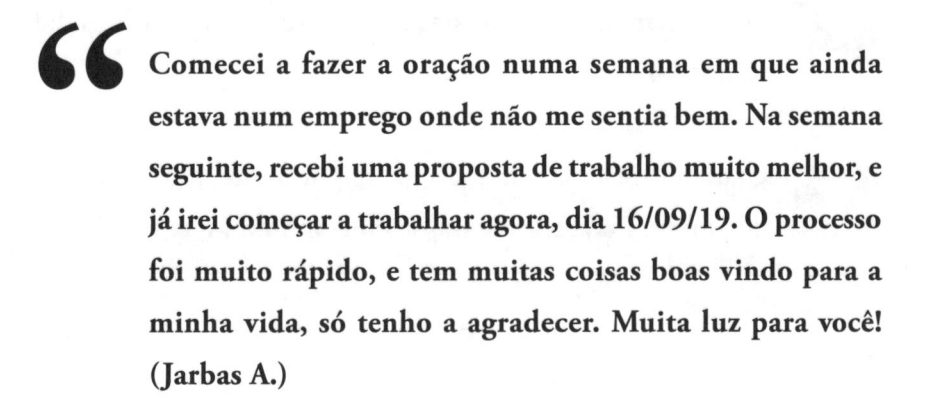

" **Comecei a fazer a oração numa semana em que ainda estava num emprego onde não me sentia bem. Na semana seguinte, recebi uma proposta de trabalho muito melhor, e já irei começar a trabalhar agora, dia 16/09/19. O processo foi muito rápido, e tem muitas coisas boas vindo para a minha vida, só tenho a agradecer. Muita luz para você! (Jarbas A.)**

" Fiz a Oração de Quatro Etapas. Sinto muita gratidão ao Bruno, por divulgar uma dádiva. Foi-me concedida uma bênção para mim e para a minha família. Gratidão! Ela não só fez a diferença, mas também transformou o modo de pensar e agir. Geralmente, nem deixo comentários, porém fiz questão de deixar este depoimento, pois se fez essa transformação na minha vida, fará a diferença para outras pessoas. (Thaís M.)

> Oi, Bruno! Há um mês, comecei a rezar desta forma. Estava desempregada, com aluguel para pagar, filho com depressão, e hoje estou trabalhando e meu filho está bem melhor. Acompanho você, sou inscrita no canal, e agradeço a Deus pela sua existência. A vida não está um "mar de rosas", mas as coisas estão se encaminhando. Sou grata a ti, de janeiro a janeiro, e confesso que, no início, fiquei meio desconfiada, achando que a oração correta deveria ser a do Pai Nosso, porém, no desespero, me apego a tudo, e resolvi fazer essa oração. Hoje, sei que funciona, te acompanharei sempre! (Eliane B.)

> **Seus ensinamentos mudaram a minha vida. Obrigada! (Elair P. T.)**

> Gratidão, Bruno! Tem mais de dois anos que faço a Oração de Quatro Etapas, e me transformei muito! (Taty K.)

> **Iluminado, Bruno! Você é muito "da Luz". Depois que aprendi esta oração, minha vida interna mudou, mudei a forma de ver meus irmãos, fiquei mais calma e tranquila. Algo muito abençoado foi a mudança ocorrer primeiro em mim. Gratidão! Sou "Família Iniciados". (Daniela V. C.)**

> Esta oração mudou realmente minha vida! Minha cabeça era uma "doideira sem fim", com muitos pensamentos ruins, que me deixavam mal o dia inteiro, o tempo todo! Quando

comecei a fazer a Oração de Quatro Etapas, senti uma transformação muito grande na minha vida: meus pensamentos se organizaram, passei a vivenciar uma paz e uma gratidão imensas dentro de mim. Obrigada. (Agatha S.)

"**Realmente poderosa, porque estava para entrar em um grande desespero, emocionalmente abalada. Esta oração aliviou o meu coração e a minha alma. Gratidão. (Marta F.)**

"Há mais ou menos cinco meses, fiz essa oração pela primeira vez, e senti uma energia muito forte. Menos de dois meses depois, consegui realizar o primeiro propósito; logo em seguida, o segundo também veio; e, hoje, estou no terceiro. Sinto-me muito feliz e agradecida, porque também já o recebi. Gratidão por tudo! (Márcia V.)

"**Essa oração é incrível, e é maravilhoso sentir essa energia correndo pelo meu corpo. Gratidão a você, Bruno Gimenes, e toda a sua equipe. Todos estão nas minhas orações! Continuem, pois vocês mudaram a minha vida! (Stefany C. S.)**

"Belíssima a Oração Guiada de Quatro Etapas. Faço duas vezes, todos os dias, há dois anos. Parabéns pela inspiração divina que recebeu para elaborá-la. Mudou significativamente a minha vida, e a da minha família. (Jundacy N. G.)

INDIQUE ESTE LIVRO AOS SEUS AMIGOS.

ESCREVA AS SUAS CONQUISTAS NA PÁGINA DISPONÍVEL AQUI[1]:

---

[1] Para que essa página seja exibida, você precisa usar a câmera do seu celular para escanear a imagem do código. A maioria dos celulares possui o leitor de QR Code, mas caso você não tenha em seu aparelho, baixe gratuitamente o aplicativo *QR Code Reader*.

OUTRAS PUBLICAÇÕES

Luz da Serra
EDITORA

FITOENERGÉTICA
A Energia das Plantas no Equilíbrio da Alma
BRUNO J. GIMENES

O poder oculto das plantas apresentado de uma maneira que você jamais viu. É um livro inédito no mundo que mostra um aprofundado estudo sobre as propriedades energéticas das plantas e seus efeitos sobre todos os seres.

Páginas: 320
Formato: 16x23cm

DECISÕES
Encontre a sua missão de vida
BRUNO J. GIMENES

É um livro esclarecedor que mostra formas simples e eficientes para ajudar você a tomar decisões sábias, encontrar e realizar a sua missão de vida, produzindo em sua vida efeitos intensamente positivos.

ISBN: 978-85-64463-08-0
Páginas: 168
Formato: 16x23cm

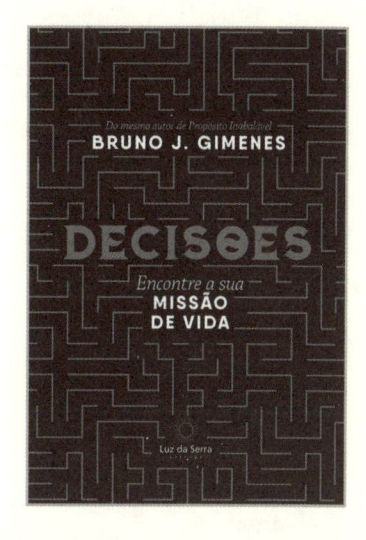

Transformação pessoal, crescimento contínuo, aprendizado com equilíbrio e consciência elevada. Essas palavras fazem sentido para você? Se você busca a sua evolução espiritual, acesse os nossos sites e redes sociais:

Luz da Serra Editora no **Instagram**:

Conheça também nosso **Selo MAP – Mentes de Alta Performance**:

No **Instagram**:

Luz da Serra Editora no **Facebook**:

No **Facebook**:

Conheça todos os nossos livros acessando nossa **loja virtual**:

Conheça os sites das outras empresas do Grupo Luz da Serra:

luzdaserra.com.br

iniciados.com.br

luzdaserra

Luz da Serra®
EDITORA

Rua das Calêndulas, 62 – Juriti
Nova Petrópolis / RS – CEP 95150-000
Fone: (54) 99263-0619
E-mail: loja@luzdaserra.com.br